Royal   Gendarmerie
Canadian   royale
Mounted   du
Police   Canada

1200 Vanier Parkway   1200, promenade Vanier
Ottawa, Ontario   Ottawa (Ontario)
K1A 0R2   K1A 0R2

le 8 mars 1994

P-01-267

Monsieur Gaston Guay

Monsieur,

La présente fait suite à votre lettre du 17 janvier 1994 adressée
au surintendant principal Jim Walker à qui j'ai succédé en tant que
directeur des relations publiques.

J'aimerais tout d'abord vous féliciter pour votre initiative de
publier un livre sur l'histoire de la Gendarmerie royale du Canada
au Québec. C'est la première fois qu'un tel ouvrage est écrit et
ce sera sûrement une addition de choix à la littérature historique
concernant la GRC. La Gendarmerie royale du Canada endosse ce
projet et vous donne la permission d'utiliser l'emblême.

Suite à une consultation avec le Docteur William Beahen, historien
à la GRC, il nous a fait part de quelques suggestions. Il serait
bénéfique pour les lecteurs si vous précisiez davantage les sources
d'information ainsi qu'ajouter des renvois et une bibliographie.

Je vous souhaite la meilleure des chances dans ce projet et agréez,
Monsieur, l'expression de mes sentiments distingués.

Directeur des relations publiques

Surintendant principal Jacques Lemay
1200 Vanier Parkway
Ottawa, Ontario
K1A 0R2

Canadä

Gaston Guay

LA GENDARMERIE

ROYALE DU CANADA

AU QUÉBEC

Les Éditions des Amitiés Franco-Québécoises

Imprimé au Canada
© Les Éditions des Amitiés Franco-Québécoises, 2000.
Bibliothèque nationale du Canada
Bibliothèque nationale du Québec
Dépôt légal –premier trimestre 2000.

Guay, Gaston, 1938-
La Gendarmerie royale du Canada
Comprend des références bibliographiques et un index.
ISBN 2-921729-45-8

1. Gendarmerie royale du Canada – Histoire. 2. Police – Québec (Province)
– Histoire. I. Titre.

FC3216.2.G82 1999   363.2'0971   C99-940894-1
F1033.G82 1999

9007-7538 Québec Inc.
Les Éditions des Amitiés Franco-Québécoises
Éditeur agréé

Marques déposées   **Adresses**

                                                        263, rue de la Jemmerais
Les Éditions Franco-Québécoises   Boucherville (Québec)
                                                        CANADA J4B 1H2
Pin's International Proteau   Tél : 1-450-655-8553 Bur
                                                             1-450-641-6677 Rés.
Les Éditions du Ronfleur   Fax : 1-450-655-8235

Les Publications Proteau   Ligne directe
                                                        (Canada & É.U.)
Proteau Éditeur   1-800-341-2256

                                                        France : 0800905834

http://www.proteau.com   info@proteau.com

Distribution
Proteau – Éditeur - Distributeur – Pin's

Richard Lafond, C.A.   président
Lorenzo Proteau   directeur général, chargé de
                                        production, relations publiques
Antonin Dupont, Phd   réviseur
Marjolaine Cloutier   conception multimédia,
                                        travaux de secrétariat
Me Jacques Darche   conseiller juridique

III

PRÉFACE

Bien que la G.R.C. avec la police montée en tunique rouge soit un symbole canadien reconnu à travers le monde, ses activités au jour le jour, particulièrement dans les provinces de l'Ontario et du Québec demeurent relativement peu connues de la population.

Au fil des ans, plusieurs livres ont été écrits en anglais sur la police montée mais il y a eu très peu de littérature en français et c'est la première fois qu'un ouvrage sur l'histoire de la G.R.C. au Québec soit écrit.

Ce récit historique de la Gendarmerie royale du Canada est dédié à tous les membres ayant eu la chance de servir dans la Belle Province ainsi qu'à tous les amis et partisans de la GENDARMERIE ROYALE DU CANADA.

En quête de connaître quand, comment et pourquoi la Gendarmerie royale du Canada s'était installée au Québec et de savoir ce qu'ont accompli nos prédécesseurs, tout cela a amené le surintendant Gaston Guay à faire des recherches et mettre ensemble des années d'expérience, des faits et des données historiques qu'il a puisés pour la plus grande partie dans de vieux rapports annuels de la Gendarmerie royale du Canada.

Concernant la réputation de ce corps de police, j'étais très heureux d'en être l'éditeur. Je suis persuadé que le lecteur trouvera ces récits d'enquêtes et faits historiques aussi intéressants et avec autant de fierté que je les ai découverts moi-même. Si tel est le cas, je vous prierais d'en faire bénéficier un membre de votre famille, un ami et même un voisin.

Lorenzo Proteau
Directeur littéraire

V

TABLE DES MATIÈRES

X

TABLE DES MATIÈRES DES PHOTOS

INTRODUCTION

Les débuts de la G.R.C. au Canada

Lorsque la police à cheval du Nord-Ouest fut créée en 1873 on était loin de se douter que ce modeste corps de police était l'embryon de la future police fédérale du Canada. On ne pouvait prévoir que les exploits des "tuniques rouges" allaient en faire le symbole du Canada dans le monde entier.

Les débuts de la police sont intimement liés à l'histoire de l'Ouest Canadien. Le Commissaire G.A. French commanda le premier détachement de 300 hommes qui, partis de Dufferin Manitoba, en 1874, accomplirent la célèbre marche vers l'Ouest se méritant la confiance et le respect des Indiens, la police construisit des postes et fit régner l'ordre public dans les prairies. Son efficacité permit la construction du chemin de fer Trans-Canada et la colonisation pacifique.

Au début le dominion du Canada créé le 1er juillet 1867 ne comptait que les provinces de Québec, de l'Ontario, du Nouveau-Brunswick et de la Nouvelle-Ecosse. Ce n'était que le début d'un mouvement qui, du moins on l'espérait, aboutirait à l'unification de toutes les colonies britanniques de l'Amérique du Nord.

L'Ouest était la voix qui menait au Pacifique, le trait d'union qui amènerait la Colombie-Britannique dans la confédération. De crainte de voir les États-Unis envahir les plaines de l'ouest, le gouvernement du Canada obtint en 1869 de la Compagnie de la Baie d'Hudson à Londres les titres de propriété sur le territoire de l'Ouest Canadien constituant aujourd'hui les provinces de l'ouest du Manitoba, Saskatchewan, Alberta et le grand territoire du Nord-Ouest Canadien.

1

Comme toute forme d'autorité garantissant l'ordre public était totalement inconnue dans le Nord-Ouest il incombait au gouvernement canadien d'assurer la protection du territoire.

Comme solution le Premier Ministre du Canada du temps, Sir John MacDonald prévoyait un corps de police montée paramilitaire, formé et équipé pour la guerre dans les plaines mais assumant avant tout des responsabilités civiles; ce serait l'avant-garde de la colonisation, établissant des relations amicales avec les tribus indiennes et maintenant la paix lorsque les colons arriveraient.

Jusqu'au milieu du 19e siècle les plaines de l'Ouest constituaient un gigantesque pâturage de bisons de la Saskatchewan jusqu'à la frontière du Texas. Le bison américain pour utiliser son nom véritable avait initialement sillonné un tiers environ du continent américain. Pour les Indiens des plaines, le bison constituait une source de nourriture, d'abris et de vêtements ainsi qu'un moyen de troc avec les blancs. Comme les Indiens, la police à cheval du Nord-Ouest était souvent tributaire du bison au cours de ses premières années dans l'Ouest. Plus tard, on adoptera la tête de bison comme emblème de l'insigne régimentaire de la police montée. En 1870 les bisons se comptaient par millions. Mais la demande de peaux et l'introduction du fusil à répétition entraînent le massacre gratuit qui les amène presque à l'extinction en 1885. Lorsque les bisons disparaissent, les Indiens sont forcés d'abandonner leur mode de vie nomade et de se fixer dans les réserves que leur offre le gouvernement.

Le premier effectif autorisé de la police montée ne devait pas dépasser trois cents hommes à cheval. Pour être accepté dans la police il fallait être de complexion robuste, savoir monter à cheval, être actif et vigoureux, doué d'un excellent caractère et âgé de plus de 18 ans et moins de 40 ans. De plus les hommes devaient savoir lire, et écrire l'anglais ou le français. Il est intéressant de noter qu'il y avait des membres bilingues parmi les premières recrues, ainsi que quelques recrues de la province de Québec qui ne parlaient que le français. Les hommes devaient s'engager pour une période de 3 ans à la fin de laquelle, si leur service avait été satisfaisant, pouvaient obtenir gratuitement une concession de 160 âcres de terre dans les Territoires du Nord-Ouest.

Les officiers responsables du recrutement n'éprouvèrent aucune difficulté à trouver des postulants bien que ne disposant que peu de temps pour la publicité. De plus la solde n'était que de soixante-quinze cents par jour, incroyable. La plupart des recrues venaient surtout de l'Ontario et du Québec. Parmi les premiers officiers nommés pour diriger le groupe de recrues pour la plupart sans expérience, le premier officier francophone fut Ephrem Brisebois qui avait combattu avec les Zouaves pontificaux en Italie.

De fait il y a toujours eu des canadiens français dans la gendarmerie mais tous étaient obligés d'apprendre rapidement l'anglais car dans la réalité tout se passait uniquement en anglais dans la gendarmerie. Ce n'est qu'au début des années 1930 que l'on commença à tenir compte des aspirations des canadiens francophones et qu'on leur permit dans la mesure du possible d'être affecté à la division "C" au Québec et dans les régions francophones du Nouveau-Brunswick. Mais ce ne fut qu'au début des années 1970 que l'on permit aux membres francophones de la G.R.C. de pouvoir écrire leurs rapports dans leur langue maternelle reconnue comme une des deux langues officielles du Canada.

Le passage des chevaux au transport mécanisé commença en 1915 avec l'achat d'une voiture qu'on utilisait pour le transport des prisonniers à Régina. Dès 1920, la police à cheval avait fait l'acquisition de 33 voitures et camions et de 28 motocyclettes. On continua cependant à utiliser les chevaux pour les patrouilles dans les régions éloignées jusqu'au cours des années trente.

La police démontée - Le Carrousel de la G.R.C.

Après l'achèvement du chemin de fer Transcanadien et la création des nouvelles provinces de l'Ouest-Canadien en 1905, les vastes étendues sans limites que la police à cheval avait traversées depuis 1874 avaient été remplacées par des fermes, des cités et des villes. L'ère des frontières résolue, l'arrivée du train et du véhicule moteur firent en sorte que les patrouilles à cheval commencèrent a être en voie de disparition. On décida toutefois de conserver l'école d'équitation comme formation de base pour tous les policiers de la Gendarmerie.

Depuis qu'on a cessé d'enseigner l'équitation aux recrues en 1966, la tradition équestre de la Gendarmerie a été maintenue seulement pour le Carrousel de la Gendarmerie Royale. Le cheval, la tunique rouge et la lance du Carrousel sont parmi les derniers liens avec le passé et les traditions primitives de la police, un rappel vivant des aventures de la frontière. Le Carrousel est né du désir des hommes de faire preuve de leur adresse comme cavalier, dont ils sont très fiers, et de donner un spectacle au public. La série de mouvements coordonnés qui forment la base du Carrousel sont issus de mouvements d'exercices traditionnels de la cavalerie. Leur exécution était généralement accompagnée de musique. C'est en 1876 que la Gendarmerie donna le premier spectacle connu d'équitation. Comme groupe permanent le Carrousel date de 1904 et on se rendit rapidement compte de sa valeur comme moyen de créer de bonnes relations avec le public.

Après son déménagement à Ottawa en 1920 le Carrousel est présenté pour la première fois dans l'Est du Canada. Effectuant des tournées au Canada et aux États-Unis, le Carrousel est devenu une attraction bien connue en Amérique du Nord. Après la deuxième guerre le Carrousel voyage en Angleterre, aux Bermudes et se produit au Japon en 1970.

4

Au cours des dernières années on a utilisé que des chevaux noirs pour le Carrousel. En 1943 la Gendarmerie crée une ferme d'élevage à Fort Walsh, Saskatchewan qui fut transférée à Pakenham, Ontario en 1968. Les chevaux élevés pour le Carrousel ne sont pas d'une race précise mais sont issus de croisements d'étalons pur-sang avec des juments pur-sang de classes choisies. L'objectif consiste à obtenir un cheval ayant de 15,3 à 17 paumes et pesant de 1 000 à 1 300 livres.

De nos jours, le Carrousel comprend un peloton de trente-deux membres, hommes et femmes tous des volontaires avec une affectation de deux ans permettant de changer la moitié du peloton chaque année.

Avant chaque tournée il y a des mois d'entraînement intensif et de répétition. Les lances sont en bambou de huit pieds de long, munies d'un fanion rouge et blanc. La chabraque ou couverture de selle est bleu royal et or, couleurs régimentaires de la Gendarmerie. Le Carrousel exécute une diversité de mouvements complexes au trot et au petit galop. "La Haie d'honneur", l'Etoile, la Roue de charrette, le Labyrinthe et le Dôme. Le mouvement final est "La Charge" qui s'exécute au galop d'un bout à l'autre de l'arène. Au son de la trompette, le peloton se reforme pour défiler et saluer l'hôte d'honneur.

L'uniforme de la G.R.C.

Le premier uniforme de la police montée en 1874 consistait en une tunique "Norfolk" écarlate, pantalon gris acier ou couleur chaire, pantalon bleu avec une bande blanche, grandes bottes brunes, bonnet rond sans visière ou casque blanc genre pour la grande tenue. En 1898 on adopta le pantalon de cavalerie bleu marine avec une bande couleur or, tout en conservant la tunique rouge, c'est après l'adoption officielle du chapeau de feutre à large bord en 1901 que la police a cheval commença a avoir un uniforme distinctif qui devait devenir un

symbole de la police à cheval au Canada. On a conservé cet uniforme
au cours des années, la changeant très peu.

CHAPITRE I : LES ANNÉES 20

Les premiers corps de police au Canada

L'organisation de corps de police au Canada a précédé la Confédération (1867) de plusieurs années surtout en ce qui concerne les municipalités. La plus vieille force policière municipale est généralement reconnue comme étant celle de Halifax qui remonte à 1749.

Les origines du corps de police de la ville de Montréal se situent au début des années 1800. Dès 1833, la ville de Québec avait un chef de police tandis que Toronto et Montréal ont établi des corps de police municipaux en 1834-1835. Le 30 mai 1834, les effectifs de la Police de Montréal comptaient 29 hommes. Au début de 1838, un nouveau système de police entre en vigueur à Montréal. Des bureaux de police sont établis pour la "conservation de la paix, la prévention des vols et autres crimes, et l'appréhension des infracteurs de la paix". Leurs effectifs comprenaient un total de 122 hommes pour une population de 35 000 à ce moment-là. Ce premier système de police a été placé sous la tutelle du gouvernement.

Par ailleurs, on relate que l'établissement officiel d'un corps "municipal" de police, à Montréal, a débuté le 12 octobre 1842 et qu'il était alors composé d'un chef de police, d'un sous-inspecteur, de 2 connétables en chef et de 48 hommes de police ou connétables. Le chef de police était l'inspecteur Comeau de la police gouvernementale. Le terme "constable", encore utilisé en Grande-Bretagne, est en fait un mot anglais tiré de l'ancien français "connétable".

En 1852, les policiers de Montréal demandent la parité de salaire avec les policiers du Havre et ceux de la ville de Québec; ce qui démontre l'existence de corps de police au port de Montréal et à Québec, à cette époque. Les origines de la police du port de Montréal semblent remonter en 1851, par suite des pressions exercées par des marchands et "shippers" auprès du gouvernement canadien. Aujourd'hui, elle est connue sous le nom de "National Harbours Board of Police" ou la "Police des Ports nationaux".

Pendant le Régime britannique, soit entre 1843 et 1867, le corps de police de Montréal est dirigé par huit chefs de police différents et il vit toutes sortes de problèmes. Les policiers sont très mal payés, très peu savent lire et écrire et il y a un manque de discipline.

Au plan de la définition des tâches policières, la période du Régime britannique marque peu d'évolution. Les policiers font la patrouille générale, surveillent les marchés et les alentours des églises le dimanche, assistent aux incendies, s'occupent de rétablir la paix lors des rixes et des émeutes, transportent les blessés ou les morts, procèdent à des arrestations et à l'exécution des mandats, rendent témoignage à la Cour et perçoivent les amendes. Ce sont là des tâches policières explicitées par le Chef de police dans son rapport de 1852 sur l'organisation policière.

La création officielle d'un service de police, à Montréal, remonte, semble-t-il, au 10 mai 1865, par résolution du Conseil de ville de Montréal Ce service est alors composé de 125 policiers.

Deux ans plus tard, en 1867, la sanction royale est donnée à l'Acte de l'Amérique du Nord britannique, qui crée le Dominion du Canada. Cette même année, le premier gouvernement du Québec est formé.

Selon la constitution, les lois pénales sont du ressort fédéral alors que l'administration des municipalités et l'organisation de la justice relèvent des provinces. Sur le plan de la justice, plusieurs institutions ont vu le jour au cours des premières années de la Confédération. C'est la province de Québec qui, la première, en 1870, a établi un corps de police provincial connu sous le nom de "Sûreté provinciale du Québec" tandis que la Gendarmerie à cheval du Nord-Ouest a été constituée en 1873 pour la protection de l'Ouest canadien. Quant à la Cour suprême, elle a été créée en 1875 alors que le Canada se donne un Code pénal en 1892. Bien que la Gendarmerie fédérale ait été fondée en 1873, elle ne s'établira au Québec que 47 ans plus tard, soit en 1920.

Au début du XXe siècle, la ville de Montréal connaît une croissance sans précédent et, en 1926, la population atteint près de 800 000 habitants et le personnel du corps de police de Montréal compte plus de 1 000 hommes.

Pendant très longtemps - près de 50 ans - la fonction de police fédérale n'a pas été perçue comme une nécessité permanente dans les provinces de Québec et de l'Ontario. Il y avait bien la Police du Nord-Ouest, mais ses activités étaient confinées aux Territoires de l'Ouest canadien. D'ailleurs, le Haut et le Bas-Canada, les colonies de l'Atlantique et plusieurs villes possédaient des services de police bien avant la naissance de la Confédération et la création de la Gendarmerie fédérale.

L'établissement d'un service de police provincial, en Ontario (O.P.P.), remonte, semble-t-il, en 1909, au tournant du siècle, lorsque les découvertes de mines d'argent près de Cobalt et d'or dans la région du Porcupine changèrent radicalement la demande en matière de police dans ces zones. De plus, l'arrivée de l'automobile a engendré des problèmes de circulation.

Précédant la formation de la Gendarmerie à cheval, la Police fédérale du "Dominion" a été créée en 1868. Au début, cette dernière faisait office de service de sécurité et avait l'obligation de surveiller les immeubles et les propriétés du gouvernement fédéral. Peu à peu cependant, les membres de cette force de protection assumèrent des fonctions additionnelles comme les enquêtes sur la contrefaçon et la traite des blanches. De plus, elles établirent le premier bureau central d'identité judiciaire qui est devenu, en 1911, le Bureau national d'empreintes digitales.

La Première Guerre mondiale (1914-1919) a aussi augmenté les responsabilités de la force de protection, car il fallut surveiller les étrangers et les ennemis et le service secret effectua des enquêtes sur des complots contre le gouvernement canadien. En 1920, la Gendarmerie à cheval étendit son autorité sur tout le Dominion (Canada) et intégra les 150 membres de la Police du Dominion.

La Gendarmerie fédérale avait été fondée en 1873 sous le nom de "Police à cheval du Nord-Ouest" et s'occupa exclusivement des Territoires du Nord-Ouest jusque dans les années 1920.

On a beaucoup écrit sur les exploits et les difficultés des premières années de la police à cheval. Il suffit de dire ici que bien que relativement peu nombreux, les agents de ce corps policier ont réussi tout de même à rétablir la loi et l'ordre dans les vastes territoires de l'Ouest du Canada tout en se bâtissant une réputation qui leur valut l'épithète "royale" accordée par le roi Édouard VII en 1904.

Ce corps policier devint donc la "Police à cheval du Nord-Ouest" et, en 1920, le nom fut modifié en "Police à cheval royale du Canada". Ce n'est que plus tard que fut adoptée la version française et qu'on traduisit le titre par le nom actuel de "Gendarmerie royale du Canada".

La Gendarmerie demeura sur place pour faire régner l'ordre et la paix même après que les Territoires de l'Ouest sont devenus des provinces. Le Manitoba et la Colombie britannique étaient déjà des membres de la Confédération en 1873, mais la Saskatchewan et l'Alberta furent acceptées comme provinces, en 1905.

En 1920, la décision du gouvernement fédéral de fusionner la Police royale à cheval à la Police du Dominion a mené à la formation de la ○Police royale à cheval du Canada", traditionnellement appelée la "Police montée". Le quartier général a été déplacé vers Ottawa et on a confié au nouveau corps de police les fonctions antérieurement accomplies par les deux autres.

Malgré le fait que la Police du Dominion ait été de petite taille, un certain nombre de nouvelles responsabilités ont échu à la Police montée, soit: la sécurité aérienne du pays, la surveillance des immeubles fédéraux, la protection des dignitaires et la prestation de services nationaux comme l'identité judiciaire.

Trois lois fédérales, en particulier, commençaient à exiger un effort accru et du personnel supplémentaire: la Loi sur les douanes (prévention de la contrebande), la Loi sur l'accise (prévention de la fabrication d'alcool illicite et de sa vente) et la Loi sur l'opium et stupéfiants (notamment à Vancouver et Montréal).

La surveillance des immeubles fédéraux, à Ottawa, prit une telle expansion que, en 1926, il y avait 226 policiers affectés à cette tâche, soit le quart de l'effectif entier de la G.R.C. du temps qui se composait de 876 membres.

Entre 1873 et 1920, la Police montée se retrouvait seulement dans l'Ouest du pays et au Yukon, chargée d'appliquer le Code pénal et, par la suite, les lois fédérales. Le Code pénal relevant des provinces était et continue d'être appliqué par la Gendarmerie dans certains endroits en vertu d'ententes passées avec les gouvernements provinciaux visés.

Avant 1920, les lois et décrets fédéraux étaient appliqués par la Police du Dominion, à partir d'Ottawa, dans les provinces de Québec et de l'Ontario ainsi que dans l'Est du pays.

Avant la Confédération, il y a eu, à quelques occasions, de petites forces de police fédérale organisées rapidement par le Gouvernement pour faire face à des désordres majeurs à travers le pays, mais elles ont été aussitôt dissoutes et supprimées après avoir servi.

11

Les grands soulèvements qui eurent lieu à Montréal et cours desquels des édifices du Parlement (chef-lieu du Bas-Canada à cette époque-là) furent incendiés, obligèrent le Gouvernement, en 1849, à lever une force de quelque 50 hommes, connue sous le nom de "Force constabulaire montée".

Il y avait aussi des gendarmes en uniforme pour protéger les immeubles parlementaires et départementaux. C'est de ces corps que s'est formée la première Police du Dominion.

Cette dernière exerçait ses fonctions principalement, sinon exclusivement, dans l'Ontario et au Québec. Un nommé Coursol aurait, aux alentours de 1869-1870, été commissaire de la Police du Dominion et responsable du territoire de la province de Québec.

La Police du Dominion augmenta en nombre, de 20 qu'elle était en 1880 au chiffre de 150 en janvier 1920. L'absorption de la Police du Dominion par la Police montée, en 1920, ne s'est pas déroulée sans difficulté. Leur organisation différait radicalement. La première était dotée de structures semblables à celles de corps de police municipaux et ses agents portaient un uniforme presque identique (uniforme bleu marine avec casque genre "bobby" de Londres), tandis que la Gendarmerie était organisée militairement: ses agents étaient brevetés, vêtus d'écarlate, disciplinés en vertu des pouvoirs conférés par une loi spéciale, et engagés pour une durée fixe auquel le gendarme ne pouvait pas mettre fin à volonté.

Les attributions de la police fédérale modifiée en 1920 pouvaient se résumer comme suit:

1) Participer à la mise en vigueur de toutes les lois où le Gouvernement du Canada est directement intéressé ou responsable.

2) Surveiller les édifices publics du Dominion.

3) Surveiller les chantiers maritimes.

4) Organiser le service de renseignements secrets.

5) Appliquer la loi et maintenir la paix dans tous les territoires et parcs fédéraux.

6) Assumer la responsabilité du bureau des empreintes digitales.

Durant les années 1920, il y eut une augmentation considérable du nombre d'enquêtes conduites pour le compte d'autres ministères fédéraux, spécialement les ministères de l'Immigration, des Douanes et accises, des Affaires indiennes, des Mines, de la Santé, etc.

La plupart des anciens membres de la Police du Dominion furent absorbés dans la nouvelle division "A" de la G.R.C. à Ottawa.

Pour l'établissement de la G.R.C. dans le Centre et l'Est du pays, on créa quatre nouveaux districts, soit: l'Ontario-Ouest, l'Ontario-Est, le Québec et les Provinces maritimes. Un officier commandant était responsable de chaque district qui relevait de l'État-Major d'Ottawa. Le Québec demeura sous forme de district jusqu'en 1932 alors qu'on lui a attribua l'importance d'une division avec la désignation de la lettre "C".

Les débuts de la G.R.C. au Québec

Le Gouvernement a autorisé la Gendarmerie à établir un détachement à Montréal en 1920. Le fait d'autoriser un détachement de 10 hommes seulement a démontré qu'on minimisait la situation ou qu'on avait une confiance extrême dans l'habileté du corps policier.

Ce bureau, avec casernes, était situé dans un vieil immeuble rue Sherbrooke, juste en face des portes de l'entrée principale de l'Université McGill. L'officier commandant était le surintendant Wilcox qui avait surtout servi au Yukon et dans l'Ouest du pays. Le sergent d'état-major Salt était le sous-officier responsable du travail de police. Pour le transport, il n'y avait qu'une voiture, une vieille Buick. Il n'y avait pas de cellules ni de bureau d'identité, si bien qu'on devait s'en remettre à la police de Montréal ou à la police provinciale.

Outre Montréal, on établit par la suite un détachement d'un (1) homme dans la ville de Québec pour desservir les deux plus grands centres d'habitations de la province. Par après, on a commencé à retrouver la Gendarmerie le long de la frontière internationale pour percevoir les frais de douane et empêcher l'entrée d'indésirables au Canada. Par exemple, on a établi un détachement à Phillipsburg, en septembre 1920, pour assister les agents des Douanes. Mais il a par la suite été supprimé en décembre 1922. Il y eut également le détachement de Valleyfield établi en octobre 1921, mais supprimé durant le même mois.

On a également commencé à installer quelques détachements près des réserves indiennes pour y maintenir la paix et appliquer la Loi sur les Indiens régissant particulièrement la consommation et la vente de boissons alcooliques. On établit pour la première fois, en Abitibi, un détachement à Senneterre qui fut en activité le 8 octobre 1921 avec le gendarme spécial F.N. JACKSON, responsable du poste. Il fut plus tard remplacé par le caporal A. SINCLAIR, numéro régimentaire 6225. Ce détachement fut supprimé quelques mois plus tard et fut relogé à Amos, en 1923, avec deux (2) agents en poste. Amos était mieux situé et de meilleurs locaux étaient disponibles. On établit en outre un détachement à la Pointe-Bleue, au Lac St-Jean, de façon temporaire, entre le 1er octobre 1921 et le 30 septembre 1922; il fut rétabli comme détachement d'été en 1924, de même qu'en 1925, avec un membre venu spécialement de Montréal.

Suppression du vice commercialisé à Montréal

On rapportait, en 1920, que le Révérend John CHISLOM de Montréal travaillait en coopération avec l'officier commandant, district de Québec, à la suppression du commerce du vice au Canada. La partie la plus importante de cette tâche consistait à monter sur les transatlantiques arrivant aux ports de Québec et de Montréal et à s'intéresser aux femmes qui débarquaient seules dans notre pays et à les conseiller. Grâce aux services de femmes d'œuvres, on entrait en contact avec les femmes passagers en vue de s'assurer qu'elles se dirigeaient chez des parents, amis ou vers des emplois trouvés d'avance. On les renseignait alors en ce qui avait trait à leurs effets personnels et sur l'heure de départ des trains; puis on les accompagnait à la gare pour s'assurer qu'elles quittaient bien la ville.

Grâce à l'établissement connu sous le nom de "Foyer Dorchester" à Montréal, les membres du clergé du lieu où se dirigeaient ces femmes étaient avertis en vue de s'assurer qu'elles arrivaient et s'établissaient à l'endroit choisi par elles.

Il se faisait certains efforts en vue de détourner des jeunes filles, et il importait de rester sans cesse en alerte pour déjouer les gens peu scrupuleux adonnés à ce qui portait le nom de "traite des blanches".

Patrouilles aux Îles Belcher

Il est bon ici de savoir que, quoique les Iles Belcher fassent partie des Territoires du Nord-Ouest du Grand Nord canadien, celles-ci sont géographiquement situées dans la Baie d'Hudson à proximité de la province de Québec au large des côtes et du village de Poste à la Baleine.

Suite à des rumeurs de meurtres chez les Esquimaux, la Police montée décida d'y envoyer une patrouille. Celle-ci, composée de deux (2) hommes dirigés par l'inspecteur J.W. PHILIPPS, s'inscrit parmi les exploits et légendes de la Gendarmerie. L'inspecteur PHILIPPS partit d'Haileybury, Ontario, le 6 août 1920 et revint le 8 octobre. Il dut voyager par train, mais le plus long du trajet fut par canot et par bateau, surmontant les rapides, les portages, le mauvais temps et toutes sortes d'autres obstacles. Le retour se fit par la rivière Abitibi dans le Nord de l'Ontario.

Chez les Esquimaux, l'inspecteur PHILIPPS découvrit effectivement les auteurs de deux meurtres et agit en tant que Coroner; un jury fut formé sur place mais recommanda qu'aucune accusation ne soit portée étant donné que les auteurs du meurtre avaient tué pour assurer le bien-être commun de la bande. Dans l'autre cas, les quatre Esquimaux responsables d'avoir tué un des leurs le croyant fou, furent trouvés coupables par le jury sur place mais, après avoir considéré sérieusement l'état de misère dans lequel se trouvaient les indigènes des Iles Belcher et leurs moyens insuffisants de subsistance, il fut recommandé que ces personnes ne soient pas mises en état d'arrestation. L'inspecteur PHILIPPS accepta à regret de laisser ces hommes en liberté car les avoir arrêtés aurait équivalu à condamner leurs familles à mourir de faim. Tout de même, il blâma sévèrement les auteurs du crime. Cette bande d'une centaine d'Esquimaux était constamment menacée de la mort par la faim.

Ce même inspecteur PHILIPPS devint l'officier commandant du district de Québec pour la G.R.C.

Distribution des effectifs de la G.R.C. au Québec

L'application des lois fédérales prit une importance grandissante et on trouvera ci-après quelques-unes des 40 lois que la Force était appelée à appliquer en 1921:

- Loi sur les banques
- Loi sur les douanes
- Loi sur les explosifs
- Loi sur les pêcheries
- Loi sur l'immigration
- Loi sur les Indiens
- Loi sur les oiseaux migrateurs
- Loi sur les drogues et l'opium
- Loi sur les bureaux de poste
- Loi sur les travaux publics
- Loi sur la milice
- Loi sur l'oléomargarine

En 1921, il y avait cinq (5) détachements de la G.R.C. dans la province de Québec, soit Montréal, Québec, Phillipsburg, Valleyfield et un cinquième à Senneterre qui relevait de la division "A" à Ottawa. L'effectif grandit de 9 qu'il était en 1920 à 26.

Il est intéressant de se rappeler qu'entre 1920 et 1932, le Québec était reconnu tout simplement comme un district sans désignation alphabétique, tandis que l'Ontario-Est portait la désignation de division "A" et l'Ontario-Ouest celle de division "O". A cette époque, la désignation de la lettre "C" appartenait au Manitoba où le poste divisionnaire était situé à Brandon.

Voici un sommaire des cas qui ont fait l'objet d'enquêtes au Québec par la Police montée durant l'année 1921:

17

- Loi sur les Indiens: 6

- Loi sur les drogues et l'opium: 167

- Loi sur la milice (déserteurs):   55

- Assistance au Secrétariat d'État (naturalisation):   592

- Enquêtes sur des personnes disparues: 71

Les enquêtes portant sur la naturalisation étaient des enquêtes auprès des voisins et des employeurs et avaient trait au caractère et à la fiabilité des candidats.

Loi sur les explosifs:

Afin de permettre à la Gendarmerie d'apporter une collaboration plus utile au ministère des Mines, division des explosifs, on a nommé les membres de la Force "inspecteurs en explosifs", leur accordant des pouvoirs supplémentaires dans la mise en vigueur des dispositions de la loi.

Fabrication de fausse monnaie:

Un cas digne de mention en 1921 a été la découverte d'une des plus fameuses bandes de faux-monnayeurs que nous ayons vues depuis bien des années. Après des mois de recherches patientes et habiles, nos enquêteurs ont réussi à découvrir un outillage remarquablement complet pour la fabrication de faux billets de banque, dissimulé dans une maison située sur une petite île dans le fleuve St-Laurent, près de Montréal.

L'outillage comprenait une presse à imprimer, des quantités de papier blanc pour billets de banque, des plaques pour la fabrication de billets de dix, vingt, cinquante et cent dollars, de même qu'un grand nombre de faux billets prêts à être mis en circulation. Toute la bande, y compris les faux-monnayeurs et leurs agents qui avaient aidé à mettre les faux billets en circulation, ont été ultérieurement arrêtés. Ils formaient un total de dix-neuf (19) personnes.

Par ailleurs, le détachement, établi à Senneterre, accomplissait du bon travail parmi les Indiens qui formaient la plus grande partie de la population dans ce coin de l'Abitibi. La situation de ces peuples avait été améliorée. On faisait une surveillance constante pour empêcher la vente de l'alcool et, comme résultat, la plus grande partie des Indiens avaient réussi à faire certaines économies dans les magasins de la Baie d'Hudson et d'autres magasins; cela les aidait à mieux passer l'hiver.

Les années 1922 et 1223 – L'inspecteur J.W. Philipps

L'inspecteur J.W. PHILIPPS, l'officier commandant la G.R.C. au Québec, avait mis l'accent sur le travail considérable à accomplir dans le domaine des douanes, dans la mise en vigueur de la Loi sur les drogues et l'opium et aussi sur l'aide à apporter dans l'arrestation des faussaires.

Un de leurs plus importants succès fut la mise au ban de la troupe connue sous le nom de la bande "Maxie". Le trafic des drogues se faisait malheureusement sur une très grande échelle à Montréal, les trafiquants ne ralentissant jamais leurs efforts pour passer en contrebande leur marchandise de mort, le plus souvent en provenance de bateaux ou du territoire américain. Des investigations ont aussi porté sur des vols dans les bureaux de poste et les personnes coupables ont été arrêtées. Le détachement de la ville de Québec a également patrouillé le long du fleuve St-Laurent pour faire respecter la Loi sur la convention des oiseaux migrateurs.

En 1923, nous avons quelque peu changé notre manière de procéder dans la guerre contre les narcotiques. Il fut décidé de porter notre attention vers l'arrestation des pourvoyeurs les plus importants qui importaient les drogues au pays, organisaient et dirigeaient le trafic, et de laisser à la police municipale le soin de veiller sur les individus qui s'occupaient plus particulièrement de la distribution. On peut ajouter que l'équipe de policiers de Montréal chargée de veiller au commerce des drogues dans la rue, a multiplié ses activités et a obtenu plusieurs condamnations. Ces drogues venaient encore des pays d'outre-mer et nous avions raison de croire que les navires de certains armateurs en transportaient d'énormes quantités.

Durant les années 1920, la Police montée avait aussi la tâche de placer des escortes sur les trains qui transportaient les ouvriers de ferme dans l'Ouest canadien, à chaque été. En 1923, il y eut 27 trains du Canadien National et 27 du Canadien Pacifique et environ 25 000 voyageurs furent transportés. Dans chaque train, il y avait deux gendarmes qui devaient veiller à l'ordre et à la tranquillité parmi les passagers.

Dans une cause de fausse monnaie en 1923, la Cour adressa à la Gendarmerie un compliment fort intéressant. Deux sous-officiers en poste à Montréal, le maréchal des logis 1re classe, E.C.P. SALT et le maréchal des logis F.W. ZANETH, en furent l'objet. Après que le premier eut rendu témoignage, le maréchal des logis ZANETH fut appelé à la barre. Les observations qui suivirent furent ainsi rapportées dans la "Gazette" de Montréal, le 6 novembre 1923.

> "Le maréchal des logis ZANETH corrobora le témoignage précédent. Lors d'un contre-interrogatoire de l'avocat MONETTE, le Juge WILSON déclara: "Je ne vois pas qu'il soit absolument nécessaire de contre-interroger le témoin, s'il corrobore en bloc le témoignage précédent. Mon expérience de la Royale Gendarmerie à cheval du Canada, c'est qu'elle rend toujours témoignage d'une façon très loyale et très juste."

"Certainement, votre Honneur, reprit l'avocat de la défense, je suis de cet avis moi aussi et je renonce volontiers au contre-interrogatoire.."

L'inspecteur Philipps déclarait, en 1923, que les tâches qu'il devait poursuivre au Québec consistaient surtout en activités qui s'apparentaient au travail de détective, c'est-à-dire un travail de dépistage et de recherches devant être conduit en habit civil. Parlant des travaux relatifs au service des douanes et de l'accise, il dit:

"Travaillant en coopération avec le service des douanes, le personnel de détachement a continué à opérer un certain nombre de saisies pour contravention à la Loi des douanes. Le brigadier ARBI- SON et le gendarme BARNES se sont occupés surtout de la contrebande de la soie expédiée des États-Unis. La valeur des saisies de soie s'éleva à 16 000 $ et on a saisi également 2 000 $ de bijoux."

À ce propos, l'inspecteur PHILIPPS nota une arrestation effectuée dans des conditions particulièrement difficiles:

À la demande du service des douanes, le maréchal des logis HENDERSON et trois hommes furent dépêchés à Ste-Anastasie de Nelson pour y opérer l'arrestation de François Langlois. Ce dernier était accusé d'avoir violé la Loi du revenu et, vu la difficulté rencontrée jusque-là pour l'approcher et la menace publique qu'il avait faite de tirer sur quiconque tenterait de le mettre en état d'arrestation, il était tenu comme dangereux. HENDERSON et ses hommes cernèrent le logis de Langlois et frappèrent à la porte sans recevoir de réponse. On décida alors de pénétrer en escaladant une des fenêtres.

"Sans attendre, HENDERSON enjamba la fenêtre et se trouva nez à nez avec Langlois qui le tenait en joue, aidé de sa femme brandissant une longue perche. Voyant HENDERSON prendre pied dans la pièce, Langlois le visa mais le manqua. Un corps à corps rapide mais violent s'ensuivit et Langlois fut finalement maîtrisé et conduit à la prison locale. Il fut d'abord accusé de tentative de meurtre, puis de voies de faits simples, et reçut, pour ce chef, trois semaines de détention."

À propos du trafic de narcotiques, l'inspecteur PHILIPPS a exprimé l'opinion suivante:

"Nos activités en ce sens se sont poursuivies avec la même vigueur. Si toutefois l'on juge par le nombre de condamnations, mon affirmation tombe. Mais cet état de choses a plus d'une raison d'être. L'une de ces raisons, était que la police de la ville avait mis sur pied deux brigades dont l'une des mœurs et l'autre des narcotiques, qui avaient toutes deux eu leur part de succès dans le trafic des drogues. Autre raison: l'adoption d'une politique visant à concentrer nos efforts, dans toute la mesure du possible, sur la poursuite des sources et des grands chefs de ce commerce au lieu des gars de la rue."

A cause des restrictions gouvernementales, le district de Québec vit diminuer son effectif au cours de l'année 1923, bien que la somme de travail ait augmenté. Seuls les bureaux de Montréal et Québec demeurèrent ouverts si l'on exclut le poste de Senneterre qui fut déménagé à Amos. Ce dernier poste, quoique situé au Québec, continuait de relever toutefois du district de l'Ontario - Division "A".

Notre principale tâche était d'effectuer des enquêtes pour le compte des autres ministères fédéraux.

En ce qui concerne le détachement d'Amos, il est intéressant de souligner que ce dernier fut l'un des premiers détachements de la G.R.C. établi au Québec en 1923. En ce temps-là, deux (2) gendarmes étaient affectés à ce poste.

Ce premier détachement d'Amos a effectivement été au 221, 1re avenue Est, à Amos. Le bâtiment, construit par M. Rosaire Gravel et d'inspiration "Diamond Drill", c'est-à-dire "Pointe de diamant", existe encore et, quoique la façade ait été légèrement modifiée, on peut toujours y observer la lucarne avec trois (3) fenêtres au 3e étage et le grenier avec les bardeaux de cèdre sur les côtés. En plus, on peut remarquer que les barreaux courbés apparaissant aux extrémités de la galerie sur la bâtisse située présentement au 221, 1ère avenue Est, ainsi que les colonnes de briques sont tout à fait identiques à ce qui apparaissait sur la photo.

Les pénitenciers du Dominion avaient de temps à autre besoin de notre intervention dans les cas d'évasion de détenus. La reprise d'un prisonnier qui s'échappa du pénitencier de St-Vincent-de-Paul, le 19 avril 1924, a présenté quelque intérêt. Cet homme s'évada à 15 h 45; nos gens commencèrent leurs recherches à 16 h 45 le même jour. Le surintendant du pénitencier fut assez bon d'exprimer son appréciation sur le travail prompt et efficace accompli. Cet incident fut marqué par plusieurs manœuvres habiles accomplies dans la poursuite du prisonnier.

Le trafic des stupéfiants en 1924

La division "A" d'Ottawa disait en outre avoir affecté un sous-officier et un agent à Amos et que, à cause d'un surcroît de travail, avoir été obligé d'envoyer des agents surnuméraires à cet endroit pour s'occuper de la Loi sur le revenu et de la question des Indiens. Ce détachement devait surveiller, dans ses travaux, une superficie très considérable et le district devrait comprendre un nouveau détachement que l'on stationnerait à un endroit convenable.

Traitant de la mise en application de la Loi sur les drogues et l'opium, l'inspecteur PHILIPPS écrivait ce qui suit en 1924:

> "Dans le trafic des stupéfiants, nous n'avons à nous occuper que d'une seule catégorie de criminels. Dans presque toutes les causes criminelles, il y a une personne lésée, le plaignant, ce qui constitue une base à l'institution de l'enquête; mais dans le trafic des stupéfiants, nulle personne n'est lésée. Le producteur, le fabriquant, le trafiquant, le colporteur et le narcomane, à chaque phase de leurs opérations, n'ont aucune plainte à formuler; tous ont intérêt à dissimuler leur crime et à se protéger mutuellement. Il arrive alors que la police n'a aucune base pour appuyer ses travaux de recherches. Il est de l'intérêt de chaque personne, à chacune de ces phases, de s'entraider dans le but de déjouer la police et rien ne les détournera de la poursuite de leur but."

> "La théorie qui fait croire que des citoyens respectables soient disposés à appuyer la police dans la suppression du crime est une utopie; et cela n'est pas surprenant. Lorsque par hasard, un citoyen respectable est appelé à comparaître comme témoin dans une cause, il ne tarde pas à réaliser qu'il perd un temps précieux et, partant, essuie une perte

24

d'argent à attendre à la Cour dans une salle en- combrée, le moment de donner son témoignage, au milieu de gens d'apparence peu scrupuleuse. Peut-on s'étonner alors qu'un témoin, qui pourrait fournir des données intéressantes, hésite à renseigner la police; lorsqu'il sait qu'en ce faisant, il se place au rang de ces gens."

"Il est très rare qu'un citoyen respectable possède des renseignements sur le trafic des stupéfiants, parce que, comme je l'ai déjà indiqué, il n'y a aucune personne lésée et, par conséquent, il ne vient pas en contact avec cette dernière, à moins que ce ne soit son parent ou son ami propre qui ait contracté cette habitude. On s'objecte alors à renseigner la police pour éviter un scandale."

"Un autre système qui se recommande est de conférer l'immunité à ceux qui révèlent leurs complices. Bien des gens révéleraient tout ce qu'ils savent sur certaines personnes d'un rang plus élevé qu'elles dans l'échelle sociale si on leur accordait l'immunité, mais il faudrait que cette immunité fut accordée avant l'audition de la cause devant les tribunaux et avant que l'arrestation ne fusse publiée. On pourrait y arriver facilement au moyen d'un système qui consisterait à sommer un prisonnier de comparaître devant un juge à huis clos, immédiatement après l'arrestation, et lui faire prendre un engagement en particulier."

"On pourrait critiquer facilement le principe de dénonciation et les méthodes qui lui sont propres, mais si nous nous refusons à utiliser ce moyen, il faudra avoir recours à nos officiers, et il est difficile de s'attendre à ce qu'un homme puisse s'immiscer dans une classe de gens et garder sa dignité personnelle; il ne serait pas même juste de l'obliger à cela". (fin de citation)

Dans un autre domaine totalement différent, le caporal J.H. KYLE, matricule 9455, et l'agent A. DUPUIS, matricule 9339, ont été postés à la Pointe-Bleue près de Roberval, du 15 mai au 25 août 1924, à la demande particulière du ministère des Affaires indiennes. On a affirmé que leur présence a été profitable aux gens de cette région et a beaucoup contribué à protéger les Indiens contre toute intervention inopportune. La "Gazette Diocésaine de Québec" publiait l'article suivant:

"Il faut faire l'éloge du travail exécuté par les deux membres de ce bel effectif de la Royale Gendarmerie à la Pointe-Bleue. Jamais auparavant la population de cet endroit n'a été plus paisible sur la réserve et les déprédations des trafiquants de spiritueux ont été à peu près contrôlées, à la faveur de leur intervention. Il est à espérer que le gouvernement fédéral étendra la portée des opérations de cet effectif de façon à ajouter une zone de 10 milles à cette réserve."

Le rapport de l'année 1924 faisait aussi mention du fait que le sergent F.W. ZANETH était en charge du détachement de Québec et qu'à Montréal, le sergent CHURCHMAN avait procédé à l'établissement d'un bureau d'identité criminelle qui s'occupait principalement de recueillir des photographies et des empreintes digitales.

Durant la même année, les anciens grades de maréchaux de logis, 1re classe, maréchaux de logis ordinaires et brigadiers furent abandonnés et remplacés au profit des rangs de sergents d'état-major, sergents et caporaux respectivement. Le grade de "maréchal de logis" était le titre ancien donné au sous-officier de cavalerie et d'artillerie qui était à l'origine chargé du logement des troupes. Ce grade correspondait à celui de sergent et sergent-chef dans l'infanterie. Le terme "brigadier" correspondait à celui qui avait le grade le moins élevé dans la cavalerie.

Les enquêtes sur la fausse monnaie en 1925

Il serait intéressant de souligner qu'en considération de l'effectif global de la Gendarmerie, soit un total de 977 en 1925, il n'y avait qu'un infime effectif de 30 membres stationnés au Québec, soit moins de 4%. En dépit de si peu d'hommes, on réussissait tout de même à accomplir un boulot énorme, que ce soit dans la lutte contre la drogue, l'élucidation de vols commis dans les bureaux de poste, la fausse monnaie et le nombre grandissant d'enquêtes pour les autres ministères.

Une cause notoire que l'on peut classer sous la rubrique "Fausse monnaie" a été celle de deux hommes qui ont tenté de fabriquer des billets de dix dollars de la réserve fédérale. L'un d'eux habitait Québec et l'autre, un village situé près de Sorel. Ces individus formèrent un complot assez compliqué dans le dessein de se livrer au faux monnayage. Certaines de ces opérations eurent lieu sur un chaland appartenant à l'un d'eux. Avant la conclusion définitive de leur entente, le projet transpira et vint aux oreilles des policiers. Ces deux hommes furent arrêtés et condamnés respectivement à deux et trois ans d'emprisonnement. L'enquête poursuivie dans cette cause fut d'une nature complexe, mais on avait réussi tout de même à réunir un dossier complet. Le juge qui fut chargé de l'instruction de cette cause adressa au personnel un compliment qui a été rapporté dans la "Gazette de Montréal", le 12 février 1925, dans les termes suivants:

" L'allocution que prononça le juge Wilson devant le jury lui fournit l'occasion d'adresser des justes louanges à la Royale Gendarmerie dont les agents réunirent les 90 témoins ainsi que les 250 pièces documentaires produites devant la couronne pendant le procès. Je ne suis pas d'habitude fertile en compliments, dit le juge, mais je sais toujours reconnaître le vrai mérite. Voici une cause qui a été préparée d'une façon admirable. Au moment où l'on nous dit que Montréal a besoin d'un corps policier modèle, permettez-moi de vous dire qu'il n'est pas nécessaire d'aller le chercher à l'étranger; nous avons ici la Royale Gendarmerie qui, depuis quelque temps, a ses quartiers dans notre bonne cité. Autant comme autant, les tribunaux ont eu sous les yeux des preuves de son excellent travail. Nous avons dans cette organisation un corps de police modèle qui peut se comparer à Scotland Yard ou aux corps de police de n'importe quel pays. Que l'on prenne bonne note de cela et que l'on s'efforce de l'imiter."

Pour le travail en province, on parlait du détachement d'Amos qui s'occupait principalement des Indiens, spécialement lorsque ceux-ci revenaient avec leur provision de fourrures et que les Blancs profitaient de l'occasion pour leur vendre des spiritueux et les mettre en état d'ébriété afin d'obtenir des pelleteries à bon compte ou pour rien. La plupart des trajets accomplis dans le district d'Amos se faisaient par chemin de fer ou par voie fluviale vu qu'il n'y avait presque pas de sentiers dont on pouvait faire usage, sauf avec des attelages de chiens, en hiver. La ligne de chemin de fer du C.N. reliait Québec et Montréal à partir de Harvey Junction et traversait Senneterre, Amos et Lasarre en Abitibi, pour rejoindre Cochrane en Ontario.

Le détachement d'Amos possédait un grand canot muni d'un moteur, qu'on utilisait sur la rivière Harricana. Un incident regrettable perdit le gendarme L. COX qui s'est noyé au cours d'une patrouille en canot alors qu'il était de service à Amos, en 1925. Cette mort constitue sans doute le premier décès d'un membre de la Police montée dans la province de Québec.

Pendant les mois d'été, le commandant du district de l'Est de l'Ontario, dont relevait le détachement d'Amos, avait dû dépêcher un membre de son personnel à Sept-Iles pour surveiller la vente d'alcool chez les Indiens. Il en découlait que le territoire du Nord-Ouest québécois ainsi que de la côte Nord était sous la responsabilité du district de l'Est de l'Ontario et était dirigé d'Ottawa durant le début des années 1920.

Cinq (5) hommes étaient stationnés à Amos en 1926; un (1) caporal, deux (2) gendarmes et deux (2) gendarmes spéciaux. Durant les mois d'été, un (1) homme fut dépêché à Bersimis sur la Côte Nord à partir de la division "A" d'Ottawa. Il s'est installé à cet endroit pour surveiller la vente de boissons enivrantes chez les Indiens et veiller à ce que la loi soit observée.

En plus des quartiers généraux de Montréal, nous avions comme autres détachements, en 1926, celui de Québec, avec deux (2) hommes et un détachement temporaire à Rock-Island sur la frontière, en service du 25 mars au 19 avril 1926, à la demande spéciale du ministère des Douanes. Un dernier détachement composé de deux hommes à la Pointe-Bleue était en service entre le 20 mai et le 18 août, à la demande spéciale du ministère des Affaires indiennes.

En plus de nos services habituels, nous avons fourni pour l'édifice des douanes de Montréal une garde composée d'un sous-officier et de cinq hommes. On a augmenté cet effectif pendant la période du paiement de l'impôt sur le revenu. Parlant du concours prêté au ministère des Douanes, l'inspecteur PHILIPPS, officier commandant dans la province de Québec, ajoutait:

> "Le travail accompli pour les Douanes comprend la présence de gardes spéciaux à Rock Island et la conduite deux ou trois enquêtes spéciales, dont l'une a eu pour résultat de mettre le grappin sur une bande de contrebandiers qui se livraient à l'importation

illicite de soieries de New York à Montréal. On a arrêté toute la bande."

Voici un résumé des cas qui ont fait l'objet d'enquêtes au Québec relativement à diverses lois fédérales entre le 1er octobre 1925 et le 30 septembre 1926:

- Loi sur les douanes   41
- Loi sur l'accise   77
- Loi sur les Indiens   134
- Loi sur les oiseaux migrateurs   20
- Loi sur la milice   23
- Loi sur les drogues   393
- Loi sur les pénitenciers   8
- Loi sur les bureaux de poste   18
- Loi sur la radio   20
- Libérations conditionnelles   38

De plus, il y eut 1220 enquêtes de naturalisation pour le compte du Secrétariat d'État et plus de 500 enquêtes diverses pour les autres ministères. Les enquêtes de naturalisation consistaient à vérifier la réputation de personnes postulant des certificats de naturalisation.

En 1927, le Commandant PHILIPPS disait qu'il fallait consacrer de longues heures de travail de filature, dans les causes de narcotiques les plus importantes avant de recueillir les preuves suffisantes pour prendre les gros trafiquants en flagrant délit. Il ajoutait que les fumeurs d'opium, les narcomanes et les petits trafiquants tombent sous la régie de la police locale.

Parlant des postes, il ajoutait:

"Le 13 juillet 1927, le courrier préposé au service entre St-Ludger et St-Samuel fut la victime d'un vol de grand chemin et se fit enlever 4 500 $. Nous fûmes appelés à faire enquête dans cette affaire et,

30

quelques jours après, un nommé J.-O. Bureau fut arrêté. Il avoua avoir commis le vol et fut condamné à trois ans d'emprisonnement et 3 740 $ de l'argent volé retrouvé.

"Le caporal U. LAFOND, matricule 8226, était l'enquêteur attitré aux vols de bureaux de poste et rendit de précieux services au ministère des Postes. Il était un enquêteur hors pair et eut de nombreuses arrestations à son actif."

Dans le rapport annuel de 1928, l'inspecteur PHILIPPS faisait mention d'une augmentation du nombre de détachements dans sa division dont un ou deux étaient de nouveaux détachements tandis que les autres lui étaient venus de la division "A". Le détachement de la ville de Québec et le détachement temporaire de la Pointe-Bleue existaient depuis quelques années. Ceux d'Amos, dans le Nord-Ouest du Québec et de Bersimis dans le Golfe du St-Laurent, avaient été remis au district du Québec par Ottawa. Un détachement d'été a été établi à Gaspé et un autre a été posté à l'aéroport de St-Hubert. Les détachements de la Pointe-Bleue et de Bersimis s'employaient surtout à maintenir l'ordre dans les réserves indiennes. Le détachement d'Amos, posté près du camp minier de Rouyn, avait beaucoup de travail à faire relativement à la distribution illicite de spiritueux; il devait aussi surveiller les Indiens.

Au sujet du détachement de Gaspé, l'inspecteur PHILIPPS déclarait:

"Vu que Gaspé est un port de mer important reliant la province de Québec à Pictou en Nouvelle-Ecosse et vu qu'il n'y a pas de protection policière à cet endroit, on a dû établir un détachement à Gaspé, le 16 avril 1928. Le rôle principal de ce poste est de réprimer la turbulence dans les villages de Gaspé, York, Sandy Beach, Peninsula, Fontenelle, tous dans la province de Québec. Le gendarme en charge s'occupe aussi de la besogne des autorités fédérales."

On s'occupait également des réserves indiennes de Caughnawaga, Oka et Bécancour. À la Pointe-Bleue, le brigadier DELVALET a rempli les fonctions d'agent des Indiens suite au décès de l'agent en place.

On avait aussi réussi à faire condamner trois hommes que l'on avait trouvés en possession de fausses pièces de monnaie américaine de cinquante cents. L'un de ces hommes, la chose est intéressante à observer, était employé à titre de conducteur de tramways à Montréal et utilisait sa position pour voiler ses opérations malhonnêtes.

Exploit du caporal Josaphat Brunet en 1929

Un acte de courage accompli par le caporal Josaphat BRUNET, à la tête du détachement de Bersimis, eut pour résultat la saisie d'une goélette à moteur de 42 pieds, dont on se servait pour la contrebande d'alcool qu'on vendait aux Indiens, de même que l'arrestation de plusieurs hommes. Par la même occasion, des blessures furent infligées au capitaine du navire qui s'opposa avec beaucoup de violence aux perquisitions.

Le 4 juillet 1929, le navire qui avait un équipage de 6 hommes, avec un nommé Philippe Vaillancourt comme capitaine, visita Bersimis et l'on y vendit des spiritueux à certains Indiens. La goélette était ancrée dans la rivière Bersimis, à peu près à quatre milles de son embouchure dans le St-Laurent et à environ deux milles de son lieu de mouillage habituel. Le caporal BRUNET s'était absenté du village pour affaires mais, à son retour dans la soirée, il aperçut la goélette et soupçonna le motif de sa présence à cet endroit.

Vers dix heures du soir, il fit des recherches dans la Réserve, trouva deux Indiens transportant des bouteilles de spiritueux, les arrêta, et apprit que l'alcool leur avait été vendu par un membre de l'équipage dont il obtint le nom, et qu'il connaissait. Il se procura immédiatement un mandat d'arrestation et un mandat de perquisition dans la goélette et il partit dans un canot automobile qui était conduit par Oscar Millet et son fils de 16 ans, Auguste, dans le but de monter à bord de la goélette. Ils y arrivèrent vers 1 h du matin; il pleuvait et la nuit était très sombre. Quatre hommes se trouvaient sur le pont, et deux, dont l'un nommément désigné dans le mandat, dormaient. BRUNET arrêta d'abord cet homme et le mit dans le canot automobile. Il se mit ensuite en quête du capitaine et lui exhiba le mandat de perquisition, mais Vaillancourt refusa de lui laisser faire les perquisitions et persista dans son refus. Le caporal BRUNET insista; il s'ensuivit une rixe, surtout entre le gendarme et Vaillancourt, mais trois membres de l'équipage vinrent à la rescousse du capitaine pendant que l'homme qui avait déjà été mis en état d'arrestation fit des efforts pour revenir à bord de la goélette.

Les Millet, le père et le fils, animés d'un double esprit de devoir, vinrent à l'aide du caporal BRUNET. Deux membres de l'équipage furent renversés, mais le capitaine continua à se battre et BRUNET tira en définitive un coup de feu en l'air; mais ceci n'ayant aucun effet, il tira un coup sur le pied de Vaillancourt. Ce dernier continua sa résistance mais il fut maîtrisé, de même que les autres. Après avoir fait des perquisitions, on découvrit 40 gallons de spiritueux, deux revolvers et un fusil; toutes ces armes étaient chargées et plusieurs cartouches dans un pistolet étaient fendues, ce qui fit croire que l'arme avait éclaté et que les coups avaient raté.

Vaillancourt, après sa déclaration de culpabilité, fut condamné à un emprisonnement d'un an. Les trois membres de l'équipage qui avaient résisté furent condamnés à 3 mois de prison et Josaphat BRUNET devait plus tard accéder au rang de sous-commissaire, soit le deuxième plus haut poste en importance dans la G.R.C. Il était le beau-père de l'ancien commissaire adjoint Gilbert NOISEUX,

33

aujourd'hui retraité et vivant à Ottawa. M. Gilbert NOISEUX a passé la plus grande partie de ses années de service dans la province de Québec et y a laissé sa marque ayant acquis toute une réputation en tant que policier et meneur d'hommes. La fille de M. NOISEUX, et par le fait même la petite-fille de M. BRUNET, Lise NOISEUX, a aussi été membre de la G.R.C. à Montréal.

En plus des quartiers généraux établis à Montréal, il y avait des détachements dans la ville de Québec avec le gendarme N. COUR-TOIS à la Pointe-Bleue (temporaire), à Amos, Bersimis, Gaspé (temporaire), à l'aéroport de St-Hubert et un autre, temporaire, à Murray Bay (la Malbaie). Les détachements temporaires étaient maintenus durant l'été.

La mise en application des lois sur les Indiens, de la Loi sur les douanes et de la Loi sur les oiseaux migrateurs constituait le principal travail des détachements tandis que l'application de la loi sur les narcotiques et sur la fausse monnaie constituait une partie importante des tâches à Montréal.

L'effectif de la division des quartiers généraux à Ottawa se composait de 127 membres dont 33 étaient postés dans le district de Québec, sous le commandement de l'inspecteur PHILIPPS. Le district du Québec était, à certains égards, administré à partir d'Ottawa.

Parmi les multiples fonctions confiées à la Gendarmerie, il en est une plus insolite que les autres: faire observer la loi d'enregistrement du bétail. C'est une affaire qui mit en cause un nommé Eugène Arpin de St-Ours (Québec) qui avait, à trois reprises en mai, juin et juillet 1929, inscrit comme AYRSHIRES pur sang des animaux qui ne l'étaient pas. A la suite d'une longue enquête, le sergent-détective SYMS avait réuni, au mois d'août 1930, des preuves suffisantes pour motiver l'arrestation d'Arpin qui, le 9 février 1931, plaida coupable et fut condamné à 100 $ d'amende et les frais.

Le poste d'Amos, dont dépendait le district d'Abitibi, a été confié au caporal J.J. SOMERS qui avait été remplacé par le caporal J. BRUNET le 1er septembre 1931. Le gendarme G.P. GAUDET s'y trouvait également.

À propos du poste de Gaspé, on disait: "Le poste de Gaspé est conservé afin de maintenir la paix et l'ordre et de réprimer le tapage dans le village de Gaspé et les villages avoisinants. Le travail incombant à ce poste pourrait facilement être exécuté par un policier de l'endroit si l'on en nommait un; il y a peu de travail du ressort fédéral à accomplir dans ce district." Le poste de Gaspé a été fermé le 4 novembre 1930 et ouvert de nouveau le 13 avril 1931. Le gendarme G.E. LEMIEUX en était le responsable.

Il y a un poste d'été à Murray Bay à la Malbaie qui a pour responsabilité de favoriser la circulation au quai fédéral. Le gendarme A.E. STAPLES a été posté à Murray Bay à la demande du ministère de la Marine et des Pêcheries.

En 1931, on a souligné le travail du caporal LARIVIERE, du sergent U. LAFOND qui, comme par les années précédentes, accomplissait un travail remarquable, du sergent d'état-major WRIGHT chargé de la surveillance du pari mutuel aux pistes de courses de la province et du sergent-détective STYRAN et du caporal-détective RAYMOND à qui avait été confiée la plus grande partie du travail à la régie des narcotiques.

CHAPITRE II : LES ANNÉES 30

Absorption du Service préventif par la G.R.C. en 1932

L'année 1932 marqua le premier changement majeur de la Gendarmerie au Québec. La Gendarmerie absorba le service préventif des Douanes et accises. Les 175 membres et leurs navires et équipages étaient assujettis autrefois au département des Douanes et accises. Ainsi, la Gendarmerie obtint sa propre division marine.

D'un effectif restreint de 33 membres et de 4 détachements en 1931, la Gendarmerie passa à 156 hommes et à 31 détachements au Québec. Par suite des nouvelles fonctions qu'apportait la fusion de Douanes et accises, les agents devaient patrouiller sur l'eau, dans les airs et sur terre pour contrer les contrebandiers de spiritueux et autres marchandises. En plus, les navires devaient secourir d'autres navires en détresse. Le district du Québec a absorbé 51 membres de l'ancien service préventif des Douanes. Nous avions le bateau "Fernand-Rinfret" posté à Gaspé et le patrouilleur "Madawaska" à Rivière-du-Loup.

Les augmentations d'effectifs ont nécessité une nouvelle répartition des districts de la Gendarmerie. On a abandonné le terme "district" pour désigner le territoire du Québec sous l'appellation "Division "C"". La division "C" comprenait toute la province de Québec (sauf la région de Hull relevant de la division "A") et l'Est de l'Arctique. On confia la division "C" au surintendant T. DAWN, le 21 novembre 1931.

Près de Sainte-Agnès de Dundee, le 11 juin 1932, les gendarmes H.A. TRUDEL et DALE ont fait rater la tentative supposée d'un contrebandier notoire pour passer une quantité considérable de bière en bouteilles. Surveillant la frontière, ils ont aperçu une voiture du contrebandier, conduite par son fils et un employé, sortir d'un champ. Cherchant dans le champ, ils ont trouvé 498 bouteilles de bière dans une cachette. Dans un autre champ, ils ont vu un cheval et une voiture et plus loin, dans un enclos du côté américain, une autre voiture. On suppose que le cheval et la voiture devaient servir à transporter la bière car l'auto ne pouvait circuler dans le champ, la terre étant trop molle. La bière fut confisquée et détruite, personne ne l'ayant réclamée.

Au début du mois de septembre 1932, des gens intéressés à la contrebande de l'alcool aux États-Unis établirent une sorte de piste d'atterrissage sur une ferme près de Rougemont, ayant obtenu du cultivateur la permission de descendre dans son champ. Le 20 mars, vint un avion des États-Unis chargé de sept sacs de vin, qui, en atterrissant, heurta un arbre et se brisa. Le propriétaire emporta l'alcool et enleva de l'avion toute marque d'identification. Il se passa quelque temps avant que nous entendîmes parler de cet avion mais nous l'avons saisi.

En 1932, la division "C" comprenait le quartier général de Montréal et trois sous-divisions. L'inspecteur H.A.R. GAGNON commandait la sous-division de Québec répartie en trois sections et celle de Québec avec 7 détachements; la section de Rimouski avec 3 détachements et celle de Gaspé avec 4 détachements sont commandées par des sous-officiers. Les détachements de la Pointe-Bleue et de Sept-Iles n'existaient qu'en été.

L'inspecteur R.E.R. WEBSTER commandait la sous-division de Sherbrooke avec 6 détachements. Les huit autres détachements relevaient du quartier général de Montréal.

L'inspecteur WUNSCH commandait la sous-division de l'Arctique oriental avec 6 détachements. Le service de transport comptait 114 chiens répartis dans les postes de l'Arctique, mais il y avait encore 9 chiens à Bersimis. Les postes dans l'Arctique étaient situés à Peninsule de Bache, Dundas Harbour, Lake Harbour, Pangnirtung, Anse Ponds et Port Burwell.

Depuis le 1er avril 1932, date de l'absorption du service préventif des Douanes et accises, il s'est fait beaucoup de travail et plusieurs arrestations dans la mise en vigueur des lois sur les douanes et accises ont été effectuées. La province regorgeait d'alambics illégaux; nous en avions saisi plusieurs de grand rendement et nous avions effectué de nombreuses arrestations à Montréal. Nous avons découvert deux énormes alambics à Montréal, un autre à Boucherville et un à Rougemont, tous d'une capacité de milliers de gallons.

Pour enrayer la contrebande des spiritueux et des marchandises, il y eut des inspections incessantes de la frontière par nos automobilistes. Nous avons saisi, à une occasion, 60 000 cigarettes américaines et plusieurs automobiles servant à la contrebande. Des embarcations rapides ont sillonné le fleuve St-Laurent en liaison avec des avions avec bases à Gaspé et Rimouski.

À propos des Indiens, le poste d'Amos et le poste d'été de la Pointe-Bleue, dans le Nord de la province ainsi que celui de Bersimis et le poste d'été de Sept-Iles dans l'Est, ont assuré la concorde parmi eux, ont porté secours aux indigents et ont prêté assistance à ceux qui étaient dans l'embarras. De Montréal, on a envoyé des patrouilles aux réserves d'Oka et de Caughanwaga. Nous avons aidé plusieurs familles indiennes.

Après la formation des réserves de chasse de l'Abitibi et du Grand Lac pour les Indiens, par le gouvernement du Québec, on confia au poste d'Amos la tâche de les patrouiller, d'instruire les nouveaux gardes-chasse et, en général, d'appliquer les nouvelles lois. Le poste d'Amos étudia les conditions de vie des Indiens de la région et suggéra des moyens de les améliorer.

Détachements de la G.R.C. au Québec en 1932

	LIEU	EFFECTIF	
	Montréal	49	(1 surint. + 3 insp.)
*	Abercorn	2	
	Amos	2	
	Bersimis	2	
	Carleton	2	
*	Clarenceville	2	
*	Coaticook	2	
*	Cross Point	2	
*	Estcourt	2	
*	Franklin Centre	2	
*	Gascon-Ouest	2	
	Gaspé	5	
*	Hemmingford	2	
*	Huntingdon	4	
	Joliette	2	
*	Lacolle	2	
	Matane	2	
*	Mansonville	2	
	Pointe-Bleue	1	
	Port-Alfred	1	
	Québec	8	(1 insp. + 1 sgt.)
	Rimouski	3	
*	Rivière-du-Loup	2	
*	Rock-Island	2	
	Sept-Iles	1	
	Sherbrooke	4	(1 sgt.)
*	Ste-Agnes-de-Dundee	1	
	Ste-Anne-des-Monts	1	
*	St-Armand	1	
*	St-Georges-de-Beauce	2	
	Trois-Rivières	2	

Bateau de Patrouille -
   "Madawaska"   6
   "Fernand-Rinfred"   2

En mission   12

      TOTAL: 156

*   L'astérisque indique les détachements de frontière.

N.B.   On avait autant de détachements en 1932 (soit 31), qu'on en a aujourd'hui.

Plus de la moitié était des détachements de frontière créés spécialement pour enrayer la contrebande et surveiller la frontière.

En 1935, on procéda à la suppression des détachements suivants:

Abercorn	Gascon-Ouest
Carleton	Joliette
Cross Point	Port-Alfred
Estcourt	St-Agnes-de-Dundee
Franklin Centre	St-Anne-des-Monts

Par ailleurs, on fit l'ouverture des postes suivants:

Chicoutimi	St-Jean-sur-Richelieu
Frelighsburg	Sutton
Ste-Hyacinthe	

Il n'y avait plus que 25 détachements au 31 mars 1935.

Le surintendant F.J. MEAD est commandant de la division "C" en 1935 et 1936.

Le Québec avait six (6) bateaux patrouilleurs, à savoir:

- "L'Interceptor" à Matane
- "La Madawaska" à Rimouski
- "Le Fernand-Rinfret" à Québec
- "La Crevette" et "L'advance" dans le port de Montréal
- "Miss Windsor" affecté à la patrouille sur le Lac Champlain.

Le commerce illicite des stupéfiants en 1936

Le rapport de 1936 signalait que le commerce illicite des stupéfiants dans la ville de Montréal était réduit à sa plus simple expression. On attribuait cet état de choses au magnifique appui reçu des tribunaux et à la généreuse coopération de tous les organismes intéressés à l'application des lois sur les stupéfiants. Toutefois, on insistait sur le fait qu'on devait continuer à exercer une vigilance constante pour empêcher une recrudescence d'activités dans ce domaine.

L'alcool passé en contrebande des États-Unis au Canada constituait un des problèmes les plus difficiles à ce moment-là. Il y avait quatre ou cinq bandes distinctes qui dirigeaient les opérations dans les États du Vermont et de New York. Ces bandes employaient des chauffeurs experts et se servaient des derniers modèles d'automobiles Ford V-8.

Par ailleurs, ces trafiquants recevaient quelquefois l'aide de cultivateurs et de personnes demeurant en bordure de la frontière pour emmagasiner l'alcool dans leur grange et permettre aux intéressés de se servir de leur ferme pour transférer les charges dans des automobiles canadiennes. Une partie de l'alcool était de fabrication américaine et une partie consistait en alcool venant d'Anvers et de Cuba, introduit en fraude aux États-Unis et que l'on faisait passer ensuite en contrebande au Canada. Le territoire comptant plus de 100 chemins traversant la frontière, le travail comportait alors beaucoup de difficultés. On a institué occasionnellement des blocus aux approches des trois ponts conduisant à Montréal. Ceci a eu tendance à tarir la source d'approvisionnement dans la ville mais d'autre part, les trafiquants dirigeaient l'alcool vers d'autres districts par les chemins de campagne.

Nous avons saisi de fortes quantités de cet alcool, soit une saisie comportant mille gallons. Les inculpés furent condamnés dans la majorité des cas. Tout cet alcool était de bonne qualité et au prix qu'il coûte, acheté en grosses quantités, les trafiquants locaux pouvaient le vendre à 4,50 $ le gallon. Ce prix laissait une très bonne marge de bénéfice.

Nous avons aussi été appelés à lutter contre l'introduction en fraude de l'alcool au moyen d'avions. Il était difficile de combattre cette méthode car les avions affectés à ce trafic atterrissaient dans un champ libre de tout abri où les gendarmes pouvaient s'embusquer. Les avions attendaient un certain signal, tel que celui qu'offre un camion stationné d'une certaine façon, avant d'atterrir. Cependant, les pilotes gardaient les moteurs en marche et démarraient à la première alerte. L'entière coopération des autorités des États-Unis nous a été acquise et quand nous avons été en mesure d'affirmer qu'un avion avait atterri et de prouver son identité, les autorités américaines se chargeaient de saisir l'avion à son retour en territoire américain.

En plus de la contrebande de l'alcool, il se faisait encore dans la province beaucoup de distillation illicite au moyen de gros et petits alambics.

La contrebande d'alcool en 1937

On a eu peu d'indices d'importation frauduleuse d'alcool dans la province; les contrebandiers se fournissaient surtout d'alcool de distillation illicite

Les détachements de la région de Windsor ont mené une enquête approfondie sur les activités d'une bande de voleurs d'automobiles, qui fonctionnait à Détroit, au Michigan, et importait ensuite les voitures au Canada pour les vendre dans le district de Windsor. On a saisi une cinquantaine d'automobiles importées en fraude et obtenu une trentaine de condamnations contre les contrebandiers ou les receleurs en vertu de la Loi sur les douanes et accises. La manière de procéder des voleurs, jetant leur dévolu sur les voitures d'occasion offertes en vente dans des parcs en plein air, était originale. Un membre de la bande se présentait comme acheteur éventuel et demandait à conduire la voiture autour d'un pâté de maisons pour l'essayer. Pendant cet essai, il prenait l'empreinte de la clé. Ensuite, il se faisait faire une clé identique. À la première occasion, il revenait dans le parc, entrait dans la voiture avec sa clé de rechange et se dirigeait ensuite vers la frontière canadienne pour s'y procurer un permis de touriste. La bande avait un point de ralliement au Canada où elle disposait de numéros de série, qu'elle substituait aux numéros américains.

L'importation frauduleuse d'alcool par automobile dans les régions de Huntingdon et de Sherbrooke a beaucoup diminué par rapport à l'année précédente, bien qu'on ait effectué quelques saisies. Les mesures prises pour enrayer ce trafic semblent avoir obligé les fraudeurs montréalais à se restreindre à la distillation clandestine locale dans des alambics de capacité commerciale, et à renoncer au risque de passer la frontière avec leur marchandise.

À l'ouverture de la navigation en mai 1936, il apparut qu'une flottille de bateaux rapides à moteur était organisée pour la contrebande de l'alcool dans le bas Saint-Laurent. L'excellent travail accompli par les équipages des navires patrouilleurs, en collaboration avec les détachements terrestres, a si bien désorganisé la bande, pendant les deux premiers mois de la navigation, qu'elle cessa toute activité pendant le reste de la saison.

En septembre 1936, le commissaire adjoint MEAD fit une tournée d'inspection de la région du Bas-Saint-Laurent, et signala combien la situation s'était améliorée. L'alcool de contrebande mis en bidons de deux gallons et demi et qui se vendait 12 $ le bidon au début de la saison, était monté à 18 $ et 20 $. Lors de l'inspection, il n'y avait plus qu'un seul navire contrebandier en activité dans la région, cinq autres ayant été saisis ou détruits au début de la saison.

À l'exception des quelque cinquante saisies portant sur les accessoires électriques introduits en fraude des États-Unis au Canada, il y a eu peu de cas de fraude de marchandises ordinaires.

Durant l'année, nous avons aidé la division des explosifs du ministère des Mines pour la mise en vigueur de la Loi sur les explosifs. La division a soigneusement inspecté trente-huit dépôts dont les propriétaires étaient titulaires de permis et 408 locaux pour lesquels les occupants n'avaient aucun permis; le Ministère avait fourni une automobile. Ces inspections ont produit de bons résultats et démontrent qu'il y a progrès dans l'observance de la loi. À l'exception d'un seul cas, on n'a pas trouvé nécessaire d'engager des poursuites.

Un des cas les plus intéressants de l'année fut celui de Mike PORYKO, accusé de fabrication et de possession de faux billets de banque. Il fut condamné à deux ans de prison, ce qui tua dans l'œuf un projet dont la réalisation eut inondé la ville et le district de Montréal de faux billets de cinq dollars de la Banque canadienne de commerce. PORYKO était connu comme faux-monnayeur, ayant déjà été condamné à Toronto pour ce délit.

Nos efforts pour arrêter l'entrée de l'alcool de contrebande dans la province - et de cette manière, protéger le Trésor - ayant été couronnés de succès, les fraudeurs américains et canadiens se mirent à construire de grands alambics de capacité commerciale dans tout le district de Montréal pour répondre à la demande.

Il est difficile à ceux qui ne se consacrent pas à l'application des 0lois d'accises de se rendre compte de l'importance de ces distilleries illégales. Les lignes qui vont suivent vont donner une meilleure idée de l'importance de ce délit.

Le premier de ces gros alambics fut découvert à la Pointe David en dehors de Montréal, en juillet 1937. Huit hommes furent arrêtés. Parmi eux était un grand contrebandier, Eddie GREEN de Plattsburg, New York. Tous les accusés plaidèrent coupables et le magistrat, bien qu'on lui eût signalé les grandes dimensions de cet alambic, ne leur infligea que l'amende minimum de 100 $ ou trois mois de prison. GREEN paya son amende et laissa les autres purger leurs trois mois de prison. Ces subalternes étaient pour la plupart des Américains d'origine italienne, du type gangster. Ils furent ensuite, pour la majorité, déportés soit en Italie soit aux États-Unis.

En septembre, on trouva un autre grand alambic qui fonctionnait dans les locaux de la Montreal Display Co., rue Rouen, à Montréal. C'était une des installations les plus modernes qui aient jusqu'alors été découvertes. Elle était entièrement en sous-sol avec des cuves et des tuyaux de béton. Sept hommes furent arrêtés. Accusés de conspiration et de fraude en vertu de la Loi d'accises, ils plaidèrent coupables. Trois des principaux accusés furent condamnés à trois peines d'un an de prison et 2000$ d'amende. Les quatre autres furent condamnés à des peines de prison de deux mois.

Dix jours après cette saisie, un autre grand alambic fut découvert, fonctionnant dans un faubourg de Ville Lasalle. Il n'y avait qu'un seul homme présent au moment du raid, mais l'enquête permit d'en impliquer six autres. L'homme trouvé près de l'alambic était un Italien

46

de New York amené au Canada avec d'autres pour faire fonctionner l'alambic. C'est au cours de cette enquête que nous qu'on apprit qu'un ancien membre de la Gendarmerie, congédié quelque temps auparavant, acceptait la somme de 100 $ par semaine en promettant aux fraudeurs de les protéger. Il fut traduit devant les tribunaux, accusé d'escroquerie et condamné pour usurpation des fonctions d'officier de la paix vu qu'il s'était présenté comme un membre de la Gendarmerie.

Une autre grande distillerie clandestine fonctionnait à Outremont. C'était une réplique exacte de l'alambic saisi rue Rouen. La distillerie était camouflée en cour à bois et à charbon sous le nom de "R. Major et Fils" et le véritable propriétaire a été découvert et arrêté. La distillerie semblait avoir fonctionné un bon nombre de mois et fournissait sans doute une partie de l'alcool illicite vendu à Montréal.

Dans la zone couverte par les patrouilleurs sur le Saint-Laurent, l'année a été fructueuse. De gros envois d'alcool de contrebande en cours de débarquement ont été saisis et un certain nombre de canots automobiles et de bateaux de pêche apportant cet alcool ont été confisqués et détruits. À la clôture de la navigation, il ne restait plus un seul canot automobile construit pour la contrebande qui ne fut capturé, dans la zone d'opérations de la division "C".

La saisie du canot automobile "47" et de 350 gallons d'alcool vaut la peine d'être relatée. Ce bateau avait coûté à son propriétaire Sylva LEPAGE, une grosse somme d'argent. Il avait été construit pour effectuer la liaison avec des goélettes au-delà de la limite des eaux territoriales et pour apporter l'alcool à terre. Il fit deux voyages et fut saisi au second; sa cargaison d'alcool, qu'il avait réussi à débarquer, fut découverte et confisquée. Quatre hommes furent poursuivis devant la Cour du Banc du Roi. Deux des chefs, y compris LEPAGE, furent condamnés à un an d'emprisonnement et leurs deux complices reçurent de lourdes amendes.

On doit attribuer le succès de nos opérations sur le fleuve au dévouement du personnel des bateaux patrouilleurs et des détachements, et au bel esprit de collaboration régnant parmi tous.

En ce qui concerne les poursuites pour conspiration, l'expérience a permis d'apprendre que, sans cette accusation, on ne peut atteindre les bailleurs de fonds des entreprises de contrebande. Ils s'exposent en effet rarement à l'accusation de possession ou de fabrication illicite d'alcool, et comme les entreprises font perdre au Trésor un gros montant de revenus, il ne faut pas hésiter à utiliser les dispositions du Code pénal pour les amener devant les tribunaux. Ceci dit parce que, de temps à autre, la Gendarmerie a été critiquée pour avoir employé ce procédé dans son service de surveillance.

Au cours de l'année, un total de cent soixante-quatre (164) automobiles ont été saisies pour infraction aux lois d'accises et de douanes. On a fait aussi des saisies de cigarettes de contrebande.

La Loi de l'opium et des stupéfiants

L'affaire la plus importante de l'année fut celle d'Arthur LUSTIG, contrebandier d'opium fort habile et insoupçonné jusqu'alors, arrêté le 15 juillet 1936. Le Hongrois LUSTIG, ayant sa résidence à Bruxelles, Belgique, connaissait au moins six langues et était correspondant de deux ou plusieurs journaux européens. Il s'était engagé comme garçon de fumoir en troisième classe sur le bateau "Montrose" qui naviguait entre Anvers, Southampton et Montréal.

LUSTIG, ayant apparemment perdu son débouché à Montréal, multipliait les efforts pour vendre une grande quantité d'opium brut, la veille du départ du bateau. En débarquant, il fut fouillé et l'on trouva dans un gilet spécial qu'il portait sous ses vêtements, une brique d'opium pesant 362 grammes. LUSTIG déclara que c'était là tout l'opium qu'il avait et qu'il l'avait acheté d'un marin américain inconnu, à Anvers, pour 30 $ en monnaie canadienne. Il ne donna aucun renseignement sur ses débouchés montréalais. Une fouille minutieuse de sa cabine et de ses bagages ne révéla rien, mais dans le fumoir sur le pont de troisième classe, on trouva une valise cachée derrière le piano qui était enchaîné à la cloison et masqué par des objets de nettoyage. La valise ouverte avec des clés prises sur LUSTIG contenait dix autres briques d'opium, pesant au total six kilos (399 grammes). Le poids total des deux saisies était de 14 livres, 14 onces.

Par la suite, LUSTIG, accusé de détention et d'importation d'opium, fut condamné à cinq ans de pénitencier et à 1 000 $ d'amende pour chacun des chefs d'accusation ou douze mois supplémentaires de prison à défaut du paiement de l'amende. Ce cas était très important au point de vue du trafic international des stupéfiants. On découvrit que l'opium saisi était un produit iranien, très répandu en Extrême-Orient, mais qui apparaissait pour la première fois au Canada.

S'il n'est pas utile d'indiquer la source réelle d'approvisionnement de LUSTIG, il n'est pas douteux que sa condamnation a fait réfléchir les autres trafiquants en ce qui concerne le port de Montréal.

Patrouilles en traîneau - Port Harrisson

Le 24 février 1936, le sous-caporal adjoint BOLSTAD et le gendarme spécial NAYOOMISLOOK quittèrent Port Harrison, Québec, avec un attelage de dix chiens, pour patrouiller sur la côte orientale de la baie d'Hudson et le long de la côte méridionale du détroit d'Hudson. Le but de la patrouille était de s'occuper de divers cas relevant de la police et de maintenir le contact avec les commerçants et les indigènes de la région mentionnée. On marcha bon train jusqu'à Cape Smith, où la patrouille resta une journée à cause du vent et de la forte chute de neige. En quittant Cape Smith, la force du vent et l'épaisseur de la neige rendirent le voyage difficile.

Le 7 mars 1936, la patrouille arriva à Wolstenholme, après avoir parcouru une vingtaine de milles et s'être rendue jusqu'à une altitude d'environ 1 500 pieds. À trois milles de Wolstenholme, il fallut descendre le lit d'une rivière jusqu'au niveau de la mer. Cette descente comportait de dangereux passages, en particulier lorsqu'il fallut manoeuvrer autour des roches, ce qui n'est pas facile dans une descente rapide. Pour garder la maîtrise du traîneau dans cette descente, des nœuds en demi-clef furent placés autour de la gorge de chaque chien pour les empêcher de tirer.

L'indigène MUKKIMIK, qui servait de guide de Cape Smith à Wolstenholme, fit la descente d'une manière sensationnelle. Comme il n'avait qu'un traîneau léger et peu chargé, il ne mit de demi-liens qu'à un ou deux de ses chiens, de sorte que dès le départ, il disparut dans un tourbillon de neige. Quand l'autre traîneau arriva en bas, on trouva MUKKIMIK qui n'avait plus qu'un seul de ses huit chiens. Par chance, les sept autres n'avaient pas été blessés et continuèrent jusqu'au poste, à un quart de mille de là.

Wolstenholme est situé au fond de l'anse Eric et ne peut s'atteindre, en hiver, qu'en descendant des collines voisines dans le lit des rivières. Le courant puissant qui entraîne les glaces, de part et d'autre de la baie, empêche d'atteindre Wolstenholme par la surface glacée.

La patrouille resta quelques jours à Wolstenholme et, avant de partir pour Wakeham Bay, trouva prudent de louer trois chiens pour renforcer l'attelage sur les terres hautes qu'il y avait à traverser entre Wolstenholme et Wakeham Bay. La patrouille fut à Sugkuk West, le 13 mars; elle se proposait de repartir le lendemain, mais la tempête la contraignit de rester jusqu'au 17. On avança rapidement jusqu'à Douglas Harbour, atteint au moment où une tourmente de neige réduisait la visibilité au point que le guide ne put trouver l'entrée de Wakeham Bay. La patrouille campa sur une petite île et, le jour suivant, se dirigea sur Wakeham Bay, qui fut atteint après une rude journée de marche dans la neige molle.

La patrouille dut rester quelques jours à Wakeham Bay; il eut été imprudent de partir, car la neige incessante, sans vent pour la tasser, eut rendu la marche épuisante pour les chiens.

Pendant que la patrouille était à Wakeham Bay, la maison servant d'entrepôt et de resserre pour l'approvisionnement des chiens de la Compagnie Revillon & Frères fut démolie par une avalanche. L'entrepôt contenait de la farine, du sucre, un canot automobile, un moteur de 16 c.v., deux tonnes de blocailles de plomb et de nombreux autres objets. On aura une idée de la force de l'avalanche en apprenant que lorsqu'on eut dégagé la maison, on ne trouva aucun de ces articles. Les murs étaient complètement démolis et le toit emporté à deux ou trois cents pieds. Les avalanches sont fréquentes dans les collines de la côte méridionale du détroit d'Hudson et il est bon, avant d'installer un camp, de s'assurer qu'un tel danger ne menace pas.

La patrouille quitta Wakeham Bay pour retourner à Port Harrison, le 4 avril, et arriva le 11 avril à Wolstenholme. Les chiens donnaient des signes de fatigue et, à l'arrivée à Cape Smith, le 16 avril, on fit un arrêt de trois jours pour les reposer. Après avoir rencontré de forts vents contraires et des tourbillons, la patrouille revint au détachement de Port Harrison. Elle avait, en 65 jours d'absence, couvert environ 1 200 miles.

Des navires contrebandiers en 1938

Les navires contrebandiers ont été très actifs pendant toute la saison de navigation au large des côtes des trois provinces maritimes. Le gros des envois de rhum venait apparemment de Saint-Martin, faisant partie des Indes occidentales françaises. Ce lieu est devenu le principal point de transbordement du rhum à destination du Canada. Ces navires ne sont pas en ce moment assujettis aux restrictions quand ils remplissent les formalités nécessaires avant de quitter la colonie avec leur cargaison, vu qu'ils ne sont pas requis de fournir des cautionnements en attendant la production des certificats authentiques du déchargement. Cette obligation est indispensable quand les navires remplissent les formalités, au départ, dans des ports situés dans les Indes occidentales anglaises.

Les plus gros navires, connus sous le nom de "MotherShips", transportent l'alcool à des endroits adjacents à nos rivages, mais restent invariablement en dehors des eaux canadiennes, et se fient sur les plus petits navires pour transporter la cargaison aux rivages sous le couvert de l'obscurité ou du brouillard.

Il y eut une activité considérable dans le Bas-Saint-Laurent aussitôt après l'ouverture de la navigation en mai 1937, mais les détachements locaux de la division "C", en collaboration avec les navires de patrouille, mirent complètement fin au trafic, saisissant les navires dans presque tous les cas, en moins de quelques semaines après leur entrée en action.

Au cours du mois d'octobre 1937, des plaintes furent reçues de personnes habitant les villages s'échelonnant de Thetford Mines à Murray Bay, au sujet de la circulation de billets contrefaits de 10 $ provenant des États-Unis. Les membres du détachement de Québec commencèrent une enquête qui permit d'obtenir une description détaillée de l'automobile dont se servaient les personnes émettant la fausse monnaie.

Le 22 octobre, nos hommes aperçurent l'automobile près de Murray Bay et mirent en état d'arrestation les occupants du véhicule, soit Giasson, L'abbé et Mathieu. Les prévenus furent accusés à Montmagny (Québec), en vertu de l'article 467 du Code pénal et ils furent condamnés à six mois de prison.

Le 7 mai 1937, les frères Labrie, Donat, Léon et Aimé, se trouvaient dans le Bas-Saint-Laurent avec une charge d'alcool de contrebande à bord du bateau à moteur 51. Ils furent surpris par une grande tempête au cours de laquelle Donat Labrie tomba, fut emporté et se noya. Les frères Léon et Aimé échouèrent le bateau près de

Petit-Mechin, après avoir jeté à l'eau peu profonde les bidons d'alcool camouflés dans des sacs chargés de sable afin de les trouver plus tard, et abandonnèrent le bateau.

Des personnes vivant dans le voisinage trouvèrent les sacs contenant l'alcool et en prirent possession. L'enquête qui s'ensuivit aboutit à la saisie de vingt bidons de 2 1/2 gallons d'alcool. Une enquête plus poussée rapporta des renseignements impliquant un nommé Hector Gagné dans les manœuvres des frères Labrie. On a pu recueillir assez de preuves pour justifier la saisie du bateau et des mises en accusation.

Ulric Tremblay de Matane a été, durant nombre d'années, le contrebandier le plus persistant du bas Saint-Laurent. Il a vécu plusieurs séjours en prison, mais retournait au commerce de l'alcool aussitôt qu'il était libéré. Il a perdu au moins 25 canots automobiles au cours de ses activités de contrebande, soit qu'ils aient été saisis par la police, soit qu'ils aient été détruits quand il se voyait en danger d'être saisi.

Le 30 juin 1937, au reçu d'informations voulant qu'une charge d'alcool ait été livrée des États-Unis dans le district de Montréal, des patrouilles furent placées sur toutes les routes conduisant à la frontière, dans un effort pour saisir l'automobile à son retour.

Vers 3 h du matin de la même date, la patrouille surveillant une route au sud de Laprairie (Québec), aperçut une automobile approchant à toute vitesse. Le chauffeur augmenta la vitesse quand on lui commanda d'arrêter et il atteint près de quatre-vingts milles à l'heure à la hauteur d'une voiture de police arrêtée plus loin le long de la route. Il était évident que le chauffeur avait l'intention de passer derrière la voiture de police qui était placée en travers de la route. Le gendarme qui la conduisait recula dans la voie de celle qui approchait. La voiture de police fut frappée avec assez de force pour lui faire faire un tour sur elle-même et la projeter à environ trente pieds le long de la route. Le chauffeur de l'automobile des États-Unis, plus tard identifié comme étant Eugène Lafontaine, perdit la maîtrise et passa à travers un garde-corps sur le bord de la route et prit le champ. Il sauta de l'automobile et tenta de s'échapper, mais il fut rejoint et trouvé souffrant d'une coupure au-dessus d'un œil. Les gendarmes lui ont donné les soins d'urgence et comme il y avait possibilité qu'il puisse souffrir de blessures internes, il fut conduit à un hôpital militaire, à Saint-Jean (Québec), et placé en observation. Lafontaine fut mis en accusation devant les tribunaux de Montréal et de Valleyfield pour refus d'arrêter en vertu de l'article 257 de la Loi de la douane et pour possession d'alcool américain. Il fut condamné à 800 $ d'amende et son automobile fut saisie.

Le 16 août suivant, les membres de notre détachement de Clarenceville surveillaient la route près de Laprairie lorsqu'ils aperçurent une voiture se dirigeant à grande vitesse vers le sud. Un signal "d'arrêt de la police" fut placé sur la route et on fit signe à l'automobiliste de s'immobiliser. Le chauffeur tenta d'échapper au blocus en faisant marche arrière. Les policiers décidèrent alors de dépasser l'autre automobile dans le but de l'arrêter mais le chauffeur resta dans le milieu de la route. À ce moment, un de nos gendarmes tira plusieurs coups de feu dans les pneus avant de l'automobile en fuite. Le chauffeur, identifié plus tard comme étant Henry Broadway, sauta en bas de son automobile dans un effort pour s'échapper, mais malheureusement une particule d'une des balles visées aux pneus le frappa à la jambe droite, juste en haut de la cheville, lui infligeant une fracture. L'hémorragie qui en résulta fut arrêtée immédiatement par un de nos gendarmes qui lui administra les premiers soins et Broadway fut transporté à un hôpital de St-Jean.

On découvrit que la voiture était entrée illégalement au Canada et s'en retournait aux États-Unis après avoir livré une cargaison d'alcool.

On obtint la preuve que Broadway, bien connu comme "contre-bandier", avait précédemment fait un autre voyage au Canada. Il est resté à l'hôpital pendant plusieurs semaines, traduit ensuite devant les tribunaux de Montréal et accusé en vertu de l'article 217 de la Loi de la douane et de refus d'arrêter.

Il fut condamné à 300 $ d'amende plus les frais, le juge faisant remarquer qu'il avait tenu compte des blessures qu'avait reçues l'accusé et du temps qu'il avait passé à l'hôpital.

Application de la Loi de l'accise

Au cours de l'après-midi du 16 septembre 1937, les officiers de la Régie des "liqueurs" du Québec repérèrent un alambic commercial sur la 12e avenue, à Rosemont, au Québec. Les trois hommes trouvés dans l'établissement furent détenus. Nous fûmes avertis immédiatement et un groupe partit en faire la saisie. Les hommes mis en état d'arrestation étaient Max Bittman de Cleveland, Ohio, de Robert McCullen de New York, et de Romeo Bérubé de Montréal. Au cours de l'enquête menée sur les lieux de l'alambic, un quatrième homme, Noël Côté, arriva, conduisant un camion chargé de sucre, de mélasse et de levure. Il fut également arrêté.

L'alambic était situé à l'arrière d'une boulangerie autrefois exploitée par Henri Lafleur, sous le nom de "Mother's Tasty Pies". Cette compagnie fit faillite et Lafleur, agissant comme agent des syndics, eut la permission de rester sur la propriété pour vendre les biens de la faillite. La propriété fut achetée par les organisateurs de l'alambic au cours du mois d'août 1937 et l'enquête révéla que les services de Lafleur furent retenus afin d'ouvrir de nouveau la boulangerie pour servir de camouflage à l'alambic. Il fut aussi arrêté.

Immédiatement après la saisie de l'alambic, des fouilles furent faites dans les chambres occupées par Bittman et McCullen. Le beau-frère de McCullen fut trouvé dans les chambres et, en même temps, des échantillons d'alcool qui plus tard, comme il fut démontré, possédaient les mêmes caractéristiques que celui qui avait été saisi à l'alambic. On découvrit assez de preuves pour justifier la mise en accusation de cet homme, Jessy Trotman de New York, avec les cinq autres déjà arrêtés.

L'application des articles touchant la conspiration et inscrits au Code pénal nous permit de mettre simultanément les six hommes en accusation sous trois chefs d'accusation. Des accusations furent également portées contre eux se rapportant aux délits essentiels de possession d'alambic et d'alcool sous le régime de la Loi d'accise. Tous les accusés furent reconnus coupables. Bittman, McCullen et Lafleur furent condamnés à 22 ans de pénitencier. Les autres furent condamnés à un (1) an de prison.

Quelques semaines plus tard, on reçut de Bittman et McCullen une invitation de les visiter. À la suite de renseignements fournis par ces hommes et d'enquêtes subséquentes, d'autres mises en accusation furent portées contre six autres hommes censés être des "haut-placés" dans l'organisation.

L'enquête poursuivie permit de déterminer que Bittman, McCullen et Trotman étaient les ouvriers d'expérience importés pour la construction et la mise en exploitation de l'alambic et qu'ils étaient les seuls ouvriers expérimentés employés; ce qui confirme l'opinion que tous ces alambics de capacité commerciale étaient construits et exploités sous la surveillance d'artisans expérimentés venus de l'extérieur.

Ces trois hommes hésitèrent à entrer au Canada quand ils furent d'abord approchés, par crainte des lois du pays. Ils ne consentirent qu'après qu'on leur eut dit que l'exploitation d'un alambic illicite était considérée comme un délit secondaire, susceptible d'une peine d'au plus 90 jours de prison. Ce qui prouve l'effet dissuasif de la condamnation à la prison pour ce genre de trafic et démontre que des hommes entraînés hésiteront à entrer dans le pays quand ils sauront que des punitions exemplaires les attendent.

Un autre point intéressant dans ce cas qui démontre l'immense organisation qui appuyait les alambics, c'est qu'il avait été convenu qu'advenant l'emprisonnement des ouvriers, leur famille recevrait 25$ par semaine. Après la mise en arrestation de Bittman et de McCullen, quelques paiements furent faits par un bureau situé à Cleveland, Ohio.

Le 10 août, une maison fut perquisitionnée dans un quartier résidentiel adjacent à Montréal et on y trouva un gros alambic clandestin. Les planchers de bois dur de la maison avaient été coupés afin de permettre de passer les colonnes de cuivre de la cave au grenier. De grands réservoirs furent trouvés au deuxième étage et au grenier. On estime à environ 200 gallons la capacité quotidienne de l'alambic. Un homme, John Kramer, se trouvait dans l'immeuble au moment de la fouille et il fut arrêté.

Les fouilles furent poursuivies aussi tranquillement que possible et la maison fut gardée pendant plusieurs heures après la saisie. Au début de la soirée, Anna Roman, plus tard identifiée par les voisins comme ayant fréquenté la maison où se trouvait l'alambic, entra sur la propriété et fut mise en état d'arrestation. Les deux personnes arrêtées furent condamnées à 700 $ d'amende ou à 9 mois de prison. Les deux venaient des États-Unis. Kramer habitait la ville de Détroit, où il était connu sous les noms de guerre de Calboze. Quant à Joe Martin, cinq accusations étaient en suspens contre lui, soit quatre relativement à des cas de boisson enivrante et une autre pour assaut grave. On donna l'ordre de déporter Kramer et Anna Roman à l'expiration de leur peine.

Un des plus gros contrebandiers d'alcool en 1937

Joe Normandin était le plus gros distributeur d'alcool au détail du district de Montréal. Il faisait le commerce depuis un certain nombre d'années et il avait échafaudé un système compliqué qui rendait difficile l'obtention de renseignements au sujet de ses activités. Au cours des dernières années, on avait effectué contre lui et ses employés plusieurs saisies mais il continuait ses activités.

Le 24 août 1937, on saisit un camion chargé de 97 gallons d'alcool. Un des employés de Normandin fut mis en état d'arrestation au moment de la saisie, mais Normandin qui était dans le camion réussit à s'échapper. Il fut cependant identifié et mis en accusation en vertu de la Loi de l'accise. Il fut condamné à 12 mois de prison et 2 000 $ d'amende plus les frais. Il interjeta appel.

Le 20 décembre, une patrouille de répression de Montréal aperçut un des camions de Normandin. Le conducteur fut immédiatement suivi et arrêté. Normandin, passager dans le camion tenta de s'échapper, mais il fut attrapé et mis en état d'arrestation. Le camion contenait 321 gallons d'alcool. Il fut de nouveau accusé et fut condamné encore à 12 mois de prison. Ses appels furent rejetés devant la Cour d'appel et il dut purger ses peines.

Le 12 novembre, une des plus grandes saisies d'alcool jamais vue fut effectuée, soit 3,034 gallons, dans la cave d'une maison située dans l'extrémité Est de Montréal. Les renseignements obtenus amenèrent la mise en état d'arrestation de Normandin et d'Aldor Allard pour possession. Dans ce cas, la majeure partie de l'alcool était américain ou d'origine européenne. Cette cause démontre bien l'obstination de ce type de transgresseur des lois.

Couronnement de Sa Majesté le roi George VI en 1936

Deux officiers, trente-trois sous-officiers et gendarmes ainsi que trente-cinq chevaux furent choisis pour représenter la Royale Gendarmerie à cheval du Canada, dans le contingent canadien du Couronnement envoyé à Londres pour prendre part au défilé du couronnement.

Le Commissaire adjoint S.T. WOOD dirigeait le détachement de police avec l'inspecteur Josephat BRUNET comme second. Un personnel choisi parmi toutes les divisions de la Gendarmerie fut envoyé à Régina, en Saskatchewan, en vue de l'entraînement et de la sélection finale. Le principal groupe quitta Montréal à bord du "SS Duchess of York", le 23 avril 1937. Un groupe de 6 hommes et les 35 chevaux partirent le lendemain à bord du "SS Beaverhill".

Les officiers, les hommes et les chevaux arrivèrent à Londres sans contretemps et entrèrent immédiatement dans le plan à suivre le jour du couronnement, le 12 mai 1937. Tout se passa très bien et le détachement de police fut reçu d'une manière hospitalière. Des médailles du couronnement furent présentées au palais de Buckingham, le 14 mai 1937.

Une parade sur demande spéciale eut lieu au Palais de Buckingham ou Sa Majesté et les deux princesses firent l'inspection. Comme le groupe royal passait dans les rangs, la Reine parla à chaque homme et plus tard, les deux petites princesses, avec une joie évidente, donnèrent du sucre aux chevaux.

Pendant que le contingent était à Londres, certains membres en profitèrent pour se familiariser avec les nouveaux perfectionnements dans la détection du crime et autres sujets analogues intéressant la police, au Home Office et à Scotland Yard.

Quelques faits de l'année 1939

L'officier commandant de la division "C", en 1939, était le surintendant H.A.R. GAGNON.

On a déjà mentionné la valeur des articles du Code pénal relatifs à la conspiration, qui nous permettaient de mettre la main sur les gros bonnets se livrant à l'exploitation d'importants alambics illicites. Ces articles du Code pénal invoqués dans les accusations relatives à des délits graves sous le régime de la Loi d'accises ont eu pour résultat la condamnation de nombreux commerçants d'alcool parmi les plus notoires qui, autrement, auraient échappé à la punition en laissant les employés assumer les responsabilités.

Trois importantes saisies de tabac et de cigares ont été effectuées à Montréal, chez D. Feldstein, Morris Feldstein et David Glassman, chacun de ces hommes ayant un magasin de tabac à Montréal. Les pièces provenant de cette saisie comprenaient environ 372 boîtes d'une demi-livre, 346 paquets de tabac d'un quart de livre et 900 paquets de deux onces chacun, plus 3 000 cigares et une quantité de cigarettes. Dans chaque cas, le tabac était vendu dans des contenants dont les timbres du Revenu avaient été déchirés et dont le tabac n'était pas de l'"espèce" indiquée sur le contenant; ce qui prouvait que des boîtes vides avaient été achetées et remplies. Des poursuites furent intentées en vertu de l'article 296 de la Loi d'accises.

À l'exception de la "Cannabis sativa", on peut dire en toute certitude que l'approvisionnement, pour le peu de trafic qui existait, était très faible et provenait du vol de drogues manufacturées licitement ou d'ordonnances frauduleuses.

En ce qui concernait la "Cannabis sativa" ou "marijuana", bien qu'il y ait fort peu de demande ou de trafic dans cette région, il existait une situation dangereuse du fait que cette plante était fort cultivée dans les environs de Montréal. Malgré que les lots de terre affectés à cette fin, et que l'on a découverts, aient été mis hors d'usage, il était impossible naturellement de détruire complètement cette plante depuis le peu de temps qu'on l'avait retracée au Canada. Si sa méthode d'emploi se généralisait, cette plante pouvait constituer un grave danger étant donné qu'on pouvait la cultiver facilement dans toute la province. Il était suggéré de s'efforcer de persuader la presse de s'abstenir de publier des articles décrivant cette plante ou ses usages.

CHAPITRE III - LES ANNÉES 40

Les principaux quartiers généraux de la G.R.C.

Le premier quartier général de la G.R.C. fut d'abord situé, en 1920, au 283 de la rue Sherbrooke, à Montréal, au coin de l'avenue Collège McGill, immeuble qui tomba sous le pic des démolisseurs en 1940. Cette ancienne demeure privée, de style victorien, tenait lieu non seulement de quartier général mais servait également de casernes.

Par la suite, le quartier général fut transporté au 131 de la rue St-Jacques Ouest, en 1939, pour être ensuite déménagé au 4095 rue Ste-Catherine Ouest, en 1949, et finalement au 4225 boul. Dorchester Ouest, en 1974.

Le quartier général de la Gendarmerie royale du Canada de la Division "C", situé au 4225 boul. Dorchester Ouest à Westmount, fut officiellement inauguré le 11 septembre 1974 par l'Honorable Warren Allmond, solliciteur général du Canada, en présence du commissaire M.-J. Nadon.

Contrebande et trafic d'alcool en 1940

On a enfin recueilli, au cours de l'année 1940, les fruits des efforts persistants de la campagne sévère entreprise depuis un certain temps contre les chefs du trafic organisé de l'alcool.

Les enquêtes et les poursuites commencées au cours des dernières années ont été portées devant les tribunaux de première instance, la Cour d'appel et la Cour suprême du Canada, et ont eu pour résultat non seulement la condamnation des chefs de ces bandes à de longues périodes d'emprisonnement, mais ont permis de constituer une jurisprudence d'une valeur inestimable pour les poursuites futures.

Les nombreuses poursuites engagées en vertu de la Loi d'accises, de la Loi des douanes et des dispositions du Code pénal relatives à la conspiration ont enfin eu raison des vieilles bandes organisées et bien retranchées de criminels plus ou moins dangereux qui dominaient le trafic illicite de l'alcool dans la province.

Cela ne veut pas dire que ce trafic a cessé, mais il n'en a pas moins été considérablement réduit et la maîtrise du commerce qui se pratiquait sur une petite échelle est passée entre les mains de nouveaux venus qui, compte tenu de la jurisprudence récemment établie, peuvent s'attendre à ce que leur métier offre des dangers de plus en plus grands et des avantages de plus en plus faibles.

Bien que la situation soit, de l'avis de plusieurs, la meilleure que l'on ait connue jusqu'ici, l'étroite surveillance de ce trafic s'impose si l'on veut être en mesure de prévenir le retour des conditions qui ont existé dans le passé.

Quant à la contrebande de l'alcool dans les automobiles qui entraient au Canada, la coutume d'engager des poursuites en vertu de la Loi des douanes contre les personnes trouvées en possession d'une voiture utilisée à cette fin, nous donne ainsi le pouvoir de poursuivre pour récidive ceux qui se rendaient par la suite coupables du même délit. Cette façon de procéder a eu un effet marqué et, jusqu'à ces derniers temps, ce trafic avait presque complètement cessé. On a tenté de le faire revivre, mais les conducteurs des États-Unis ont refusé de conduire des automobiles plus loin que la frontière canadienne. Or, en face de la sévérité des poursuites, les membres des bandes organisées ont eu bien de la difficulté à trouver des chauffeurs qui consentent à se charger des cargaisons sur le sol canadien. On a aussi constaté que cet alcool est de qualité inférieure et contient un fort pourcentage d'hydrate méthylique. Ces faits ont été l'objet d'une grande publicité et l'on a lieu de croire que les contrebandiers qui pourront réussir à traverser la frontière pourront bien difficilement vendre leur marchandise.

Au cours de la dernière saison, les seules tentatives de quelque importance de passer de l'alcool en contrebande par voie d'eau ont été faites près de la ville de Gaspé et aux environs de la Baie des Chaleurs. Dès le début de la Seconde Guerre mondiale, toute la contrebande par mer, du moins pour ce qui a trait à notre division, a cessé complètement. La chose est sans doute attribuable aux opérations des unités navales et au fait que le commerce à Saint-Pierre et Miquelon s'est trouvé arrêté. Il y avait lieu de croire, en outre, que les plus grands canots rapides aux environs de Saint-Pierre ont été réquisitionnés par le gouvernement français.

Au cours du mois de novembre 1939, le ministère du Revenu national nous demanda de faire enquête au sujet d'achats massifs de spiritueux parfumés par un certain nombre de compagnies de Montréal. Une enquête approfondie fut immédiatement conduite et amena, vers la fin de décembre, la saisie d'une grosse installation de distillation près de Terrebonne. Grâce à un procédé spécial, les exploitants de cet alambic régénéraient ces spiritueux parfumés et en obtenaient un alcool potable. Nous avons ainsi pu retracer l'origine d'environ 18 000 gallons d'alcool.

Les enquêtes conduites à fond avant la saisie proprement dite de l'alambic nous permirent d'arrêter dix hommes qui furent tous accusés d'être en possession d'alcool, en possession d'un alambic et de conspiration aux termes du Code pénal du Canada. Quatre des accusés, y compris Oscar Guilbault, le chef de la bande, avouèrent leur culpabilité et reçurent les sentences suivantes:

Oscar Guilbault : Deux (2) années d'emprisonnement pour chacune des accusations de conspiration, avec
confusion de peines, et une amende de 500 $ sur
chaque chef de délit grave, ou 6 mois de prison,
au choix; les sentences pour les délits graves

devant être purgées après les sentences imposées pour conspiration dans le cas où les amendes ne seraient pas payées.

Matty Ruotolo: 18 mois de prison.

Jerry Voglino: 18 mois de prison.

Narcisse Renaud: 12 mois de prison.

Il est intéressant de noter ici que, craignant apparemment une disette de sucre, matière importante dans le procédé de récupération de l'alcool, Guilbault en avait emmagasiné environ 105 751 livres. Ce sucre fut saisi et vendu, ce qui rapporta la somme de 4 203 $. On a aussi saisi un Coupé Ford 1939, un camion Ford 1938 d'une capacité de deux tonnes, un camion G.M.C. et un camion Ford 1932.

Manoeuvres subversives

À cause de l'importance du parti communiste à travers le monde, il est indispensable de commenter assez longuement les manœuvres du parti communiste, pour la portion qui relève de la division "C", au cours de l'année 1939.

Au cours de la période qui a précédé l'ouverture des hostilités, les organisateurs du parti communiste étaient en butte à d'énormes difficultés par suite du travail de la police provinciale chargée de l'application de la Loi du cadenas dans la province de Québec. La mise en vigueur de cette mesure eut pour effet de contraindre le parti communiste à continuer ses manœuvres dans l'ombre. La dissémination des doctrines communistes au moyen de réunions, de manifestations publiques ou de publications s'en trouva grandement désavantagée.

Les chefs communistes eurent donc fort à faire pour maintenir l'effectif du parti à un nombre variant de seize à dix-huit cents membres. Ils connurent d'autres difficultés suite à la signature du pacte de non-agression entre la Russie et l'Allemagne. Ils ne s'attendaient apparemment pas à cette marque de loyauté envers les nazis qui, jusque-là, leur semblaient bien être leurs plus grands ennemis. Cela donna lieu à un état de confusion qui affaiblit considérablement le parti au point que, pendant un certain temps, on crut qu'il avait reçu son coup de mort. Les chefs réussirent cependant à trouver la formule de certaines explications qu'ils firent accepter à leurs adhérents et le parti put sortir de cette difficulté. Même l'invasion de la Finlande fut acceptée sans que le nombre de ses membres s'en trouva gravement réduit.

À ces difficultés, succéda une période d'intenses activités de la part des chefs du mouvement et, en même temps, les autorités provinciales suspendirent l'application de la Loi du cadenas. Grâce à une recrudescence du travail d'organisation et de propagande, le nombre des membres du parti communiste atteignit tout près de 2500. Ce chiffre, naturellement, ne représentait que les membres proprement dits mais, étant donné que ces membres occupaient des positions importantes, il était évident qu'ils commandaient un bien plus grand nombre de personnes et constituaient un danger plus grave encore que le nombre pouvait l'indiquer.

Après l'ouverture des hostilités, les chefs du parti crurent que leurs manœuvres subversives seraient déclarées illégales et que leur parti serait mis "hors la loi". À mesure que le temps passait sans que le gouvernement intervienne, leur audace augmentait, tant et si bien qu'ils allèrent jusqu'à présenter des candidats aux dernières élections fédérales et provinciales à seule fin de répandre leurs doctrines au cours de la campagne électorale.

La propagande communiste, sous forme de brochures et d'imprimés ronéotypés, a augmenté constamment depuis la déclaration de la guerre. Le Canadian Civil Liberties Union et la Canadian Labour

Defense League, associations affiliées au parti, ont fait beaucoup pour répandre les idées communistes.

Se rendant compte qu'il existait un fort sentiment anti-conscriptionniste dans la province, les dirigeants du parti tentèrent d'exploiter toutes les questions se rattachant à la conscription. Ils mirent en circulation de nombreux imprimés et brochures tendant à convaincre le public que la conscription était imminente et ils se proposèrent d'augmenter encore leurs activités dans ce domaine. A cette fin, les communistes avaient uni leurs efforts à ceux des fascistes et des associations nationalistes de la province et cherchaient maintenant à élargir les cadres de leur association de manière à comprendre tous les groupes anti-conscriptionnistes, lesquels cependant, avaient été jusqu'ici également anti-communistes. Ils semblaient avoir obtenu certains succès dans ce sens et, si on ne pouvait réussir à entraver leurs efforts, ils auraient pu probablement attirer un grand nombre de nouveaux membres dans leur parti tout en étendant leur influence à de nouvelles associations.

Le ralliement de ces associations autour d'un objectif commun ne devait pas être envisagé à la légère, car le parti communiste s'efforçait de fomenter du désordre par l'intermédiaire de ces associations et au moyen de leur campagne constante contre la guerre, que la conscription ait été non adoptée. Si les membres de toutes ces associations s'unissaient, le nombre en serait formidable et probablement de nature à créer des embarras au gouvernement dans la mise à exécution de son effort de guerre.

Par suite de l'alliance entre la Russie et l'Allemagne, il était possible et même évident que les associations communistes auraient cherché à entraver gravement l'effort de guerre au Canada, surtout si l'on tenait compte de la rumeur voulant que le bureau central du parti communiste russe soit transporté à Vienne. Le parti communiste pouvait fort bien être utilisé, s'il ne l'était déjà, comme association bien organisée et très répandue d'espionnage et de sabotage. Pour montrer que la chose était fort possible, on peut ajouter que les membres du parti communiste qui travaillaient dans le port de Montréal et aussi ceux qui travaillaient à bord des bateaux, avaient reçu instruction de faire connaître à leurs chefs tous les renseignements qu'ils pouvaient obtenir au sujet des chargements, des cargaisons, des départs et des arrivées des navires. On a aussi demandé, dans certains cas, à ceux qui n'avaient pas d'emploi, de chercher à se faire embaucher à bord des bateaux et d'en profiter pour recueillir tous les renseignements possibles pour le compte du parti communiste.

Corps de garde des anciens combattants

Depuis l'ouverture des hostilités, les anciens combattants qui avaient fait du service au cours de la Grande Guerre (1914-1918) avaient été employés à titre de gendarmes spéciaux pour faire la garde à des endroits stratégiques de la province. Le nombre des anciens combattants employés au service de garde a varié de 650 à 394.

Le service de garde se faisait sous la surveillance d'officiers et de sous-officiers de la gendarmerie ainsi que des surveillants choisis parmi les anciens combattants et il avait donné satisfaction.

Des gardes avaient été postés aux endroits suivants:

-	Port de Montréal		60
-	Pont Jacques-Cartier	43	
-	Cale sèche de Vickers		6
-	Pont Victoria		32
-	Pont et canal de Lachine		91
-	Canal de Soulanges		60
-	Équipe en cas d'alerte		9
-	Station de radio - Laprairie		4
-	Station de radio - Verchères		4
-	T.S.F. à Drummondville		11
-	Station de T.S.F. à Yamachiche		7

-	Station de radio de Chicoutimi	2
-	Charlesbourg	5
-	Cale sèche de Lauzon	30
-	Port de Québec	12
-	Pont de Québec	18
	EFFECTIF =	394

Un officier, sept sous-officiers et trois gendarmes consacraient tout leur temps à ce corps de garde; le commandant de la division régionale de Québec et le sous-officier qui s'occupaient des divers détachements, leur prêtaient concours.

Une automobile et trois camionnettes assuraient constamment l'exécution de tous les détails concernant ce corps de garde.

Un certain nombre d'associations et de particuliers avaient gracieusement fourni des articles non compris dans l'équipement donné aux anciens combattants plusieurs parmi ces derniers avaient besoin de chauds sous-vêtements et de survêtements.

En plus de Montréal avec un effectif de 506 et Québec avec un effectif de 16, il y avait 22 autres petits détachements composés de 1, 2, 3 ou 4 hommes, en 1941, dans la province de Québec.

-	Montréal	506
-	Amos	3
-	Bedford	2
-	Bersimis	1
-	Carleton	1
-	Chandler	1
-	Chicoutimi	2
-	Coaticook	2
-	Gaspé	2
-	Hemmingford	2
-	Huntingdon	2

-	Lacolle	2
-	Matane	2
-	Québec	16
-	Rimouski	3
-	Rivière-du-Loup	2
-	Rock-Island	2
-	Sept-Iles	1
-	Sherbrooke	3
-	St-Georges-de-Beauce	2
-	St-Jean-sur-Richelieu	3
-	Sutton	4
-	Thetford Mines	2
-	Trois-Rivières	3
-	En mission	5
-	En congé	1
	TOTAL =	575

Cet effectif était dirigé par un surintendant et trois inspecteurs et comprenait quelque 387 gendarmes spéciaux employés comme gardes de points vitaux durant la guerre.

La grève de l'Alcan à Arvida en 1941

Le 24 juillet 1941, les préposés aux creusets de l'Aluminium Company of Canada à Arvida, usine fabriquant du matériel essentiel à la poursuite de la guerre, se sont mis en grève pour protester contre les conditions de travail; un de leurs griefs était que les hommes travaillaient dans des endroits où la chaleur était excessive et où ils n'étaient pas suffisamment protégés. Quelques heures après, tout le personnel de l'usine, comprenant 5 055 hommes, quittait le travail. Cinq cents ouvriers sont restés dans l'usine jusqu'au 27 juillet alors qu'un représentant de la Confédération des travailleurs catholiques les a convaincus de quitter les lieux.

Le 28 juillet 1941, le maire d'Arvida a fait la sommation prévue par la loi contre les attroupements, ordonnant à tous d'évacuer la propriété de la compagnie. Les hommes se sont rendus de bonne grâce à cette sommation et un détachement des forces armées a occupé toutes les barrières et les routes donnant accès à la propriété.

Dans l'intervalle, les creusets d'aluminium qui exigent des soins spéciaux jour et nuit, s'étaient refroidis, mais cela a constitué l'unique dégât matériel occasionné par la grève.

Dès le début du différend, les autorités fédérales et provinciales du travail ont conféré avec les représentants de l'usine et ceux des employés. Par la suite, un accord satisfaisant a été conclu et les employés sont retournés au travail pour la relève de 16 h, le 29 juillet.

Cette grève était la conséquence de griefs non réglés, remontant à une période éloignée, au sujet des salaires et conditions de travail. Aucun syndicat n'était en cause, bien que 1 000 ouvriers fussent membres de la Confédération des travailleurs catholiques. Les grévistes ne réclamaient pas non plus la reconnaissance d'un syndicat. L'ordre n'a cessé de régner pendant toute la grève. Une Commission royale a examiné le bien-fondé d'une plainte d'après laquelle la grève aurait eu le sabotage pour motif, mais cette assertion s'est révélée fausse.

Le 31 mars 1942, le nombre d'étrangers internés sous l'empire de l'article 25 des Règlements concernant la défense du Canada était de 309 dont 57 d'origine japonaise.

La Gendarmerie en général

La Gendarmerie accomplit une somme de travail considérable pour le gouvernement fédéral. En plus de sa tâche habituelle, elle est de plus en plus sollicitée pour entreprendre des enquêtes par les ministères ainsi que par les nouveaux services qui sont encore créés de temps en temps. En outre, les ministères nous demandent généralement de les aider à faire appliquer les nouvelles lois. Il est donc facile de comprendre pourquoi ces requêtes paraissent incessantes et pourquoi le travail pour le gouvernement fédéral augmente constamment.

Pour toutes ces raisons, la tâche au cours des douze derniers mois a été laborieuse et difficile et la situation n'a aucunement été améliorée par l'enrôlement graduel de jeunes gens expérimentés dans les forces armées et l'orientation, vers d'autres carrières, des hommes qui terminent leur engagement. Il faut ajouter que les chances de se procurer de bonnes recrues en nombre suffisant diminuent chaque mois et qu'en conséquence, la tâche de ceux qui restent devient plus lourde. Toutefois, la Gendarmerie a, comme toujours, fidèlement accompli sa besogne.

Attendu que la G.R.C. a toujours soigneusement évité de faire concurrence aux forces de l'armée active du Canada en ce qui concerne le recrutement des hommes depuis le début de la guerre et que, en outre, il n'est plus possible d'obtenir suffisamment de gendarmes spéciaux parmi les associations d'anciens combattants de la dernière guerre, elle a dû prier le gouvernement de bien vouloir lui permettre d'engager les jeunes gens inaptes au service armé, pour la garde des points vulnérables.

La création du service de sécurité en 1942

L'arrêté en conseil du 14 juillet 1942 a autorisé l'institution d'un service de sécurité pour tout le Canada sous l'autorité d'un commis-saire de la Royale Gendarmerie à cheval du Canada. L'importance des opérations envisagées au début a été quelque peu réduite et les zones côtières ont fait l'objet d'une attention spéciale. Il était évident que la Gendarmerie n'aurait pas le personnel suffisant pour assurer la totalité du service de sécurité et tous les efforts possibles ont été faits pour recruter parmi la population civile les hommes aptes à ce travail. L'arrêté en conseil prescrivait en outre que des officiers et des sous-officiers pourraient être fournis par les forces armées et le ministère de la Défense nationale pour l'armée; les forces aériennes et les forces navales ayant exprimé leur assentiment, la G.R.C. a obtenu un certain nombre d'hommes de ces services. Ils portent l'uniforme de campagne et un béret et, sur l'épaule, un écusson indiquant qu'ils appartiennent au Service de la sécurité.

Divisions et détachements de la G.R.C. en 1943

En 1942, il y avait 13 divisions et 433 détachements de la Gendarmerie répartis comme suit dans les différentes provinces et dans les territoires du Canada.

	Division	Détachements
Ile-du-Prince-Edouard	"L"	5
Nouvelle-Ecosse	"H"	36
Nouveau-Brunswick "J"		31
Québec	"C"	29
Ontario	"A", "N" et "O"	31

Manitoba	"D"	56
Saskatchewan	"F" et "Dépôt"	102
Alberta	"K"	89
Colombie-Britanique	"E"	22
Yukon et Territoires		
du Nord-Ouest	"G"	32
	13	433

Visite de Churchill et Roosevelt à Québec en 1943

Parmi ses nombreuses fonctions, la Gendarmerie devait s'occuper entre autres de la protection des visiteurs de marque qui venaient au Canada. Le très honorable Winston Churchill arriva le 11 août 1943 à Charny, au Québec, en route pour la Citadelle de Québec où il devait prendre part à la Conférence de Québec et, le lendemain, il partit via Niagara Falls pour Hyde Park (New York) où il rencontra le président des États-Unis, Franklin Roosevelt.

Des membres importants des délégations américaine et britannique participant à la conférence arrivèrent à Québec le 13 août et le premier ministre Churchill y revint le 15 août. Le président Roosevelt s'y rendit le 17 août et il fut reçu par le très honorable Winston Churchill et le très honorable M. Mackenzie King, premier ministre du Canada.

Les chefs politiques de la Grande Bretagne, des États-Unis et du Canada, Son Excellence le Gouverneur général du Canada, des personnalités éminentes de tous les pays intéressés et plusieurs agents de la Police secrète américaine étaient sur les lieux. La responsabilité d'accorder la protection policière et la surveillance voulue à la Citadelle et au Château Frontenac où se déroulait la conférence, incombait à la Royale Gendarmerie à cheval du Canada. La conférence prit fin le 25 août et le tout s'était déroulé sans incident.

Observance des lois fédérales

L'application des règlements touchant le rationnement et le contrôle des prix a occasionné un surcroît de travail aux équipes qui s'occupaient du marché noir dans les grands centres. Le plus grand nombre des enquêtes avait trait au rationnement de l'essence, des pneus et de certaines denrées alimentaires, par exemple le sucre et le beurre et à la vente des automobiles d'occasion au-dessus du plafond des prix.

Il convient de signaler l'augmentation considérable du trafic des coupons d'essence contrefaits, particulièrement dans la province de Québec et, à un degré moindre, dans d'autres parties du pays.

Le trafic illégal des pneus d'automobiles vendus à des personnes non autorisées se poursuivait, mais ces infractions n'étaient pas aussi nombreuses que celles relatives à l'essence.

La fabrication des automobiles pour les civils étant arrêtée, il en est résulté que des marchands de voitures d'occasion peu scrupuleux ont tenté de vendre au public des automobiles à des prix fortement majorés.

En janvier 1945, lorsque le gouvernement demanda de mettre en vigueur la conscription partielle pour le service outre-mer, des centaines et même des milliers de conscrits ou membres d'unités de défense sur les territoires canadiens désertèrent pour aller chercher refuge dans les bois ou autres formes de cachettes. La tâche de rechercher ces déserteurs étant insurmontable, les corps de prévôts firent appel à la G.R.C. pour leur venir en aide.

Concernant les règlements sur le service sélectif national (mobilisation), il est à noter que, jusqu'en janvier 1945, la G.R.C. avait simplement aidé à appréhender les individus illégalement absents et les déserteurs. Mais au cours du mois précité, elle reçut la demande de repérer quelque 18 000 délinquants ou plus. Pour donner une idée du travail accompli, on peut citer les chiffres suivants qui s'appliquent aux mois de février et mars 1945:

Hommes d'âge militaire apparent interrogés:	22 372
Déserteurs appréhendés:	651

Nouvelles responsabilités

En 1944, il y a eu une diminution sensible du nombre de cas de sabotage présumé. Cela est dû sans doute à l'amélioration des conditions de guerre. Bien qu'ayant tenu environ 128 enquêtes sous ce rapport au cours de l'an dernier, il n'y a pas d'indication que le sabotage ait été causé par l'ennemi.

Il est agréable de souligner que pendant toute la durée de la guerre jusqu'à ce jour, il n'y a pas eu de cas de sabotage perpétré par l'ennemi.

La position des Alliés s'étant améliorée tant sur le front économique que sur le théâtre de la guerre, on a constaté aussi une des modifications en ce qui concerne les activités de ceux qui, sympathiques à l'ennemi, sont devenus moins loquaces ou désabusés, à mesure que la guerre progressait. Quoi qu'il en soit, d'autres ont conservé leur foi dans le régime totalitaire et il est encore nécessaire de les garder sous surveillance. Ce n'est pas toujours facile et il faut solliciter le concours d'autres divisions des ministères fédéraux pour permettre de bien juger le degré d'influence exercé dans une localité donnée par ces gens ou par la propagande ennemie. Il est encore très important d'accorder une étroite attention aux détails et de coordonner les renseignements obtenus. Un examen minutieux de ceux qui désirent entrer dans l'armée canadienne, des enquêtes de sécurité dans les cas de personnes à l'emploi du gouvernement canadien, etc., fournissent suffisamment de travail à ce service.

Une liaison étroite a été maintenue avec les services des trois forces armées, avec le service secret du service des prisonniers de guerre et naturellement avec les services de sécurité du Royaume-Uni et le Federal Bureau of Investigation, du département de la Justice des États-Unis.

L'espionnage, chose toujours possible, a demandé beaucoup d'attention. De temps à autre, des soupçons concernant certaines personnes au pays et des personnes arrivant dans les ports sont signalés et rien n'est épargné pour s'assurer que ces personnes ne sont pas des agents ennemis ou n'agissent pas dans l'intérêt de l'ennemi. La poursuite de ces enquêtes révèle des angles intéressants. Dans un grand nombre de cas, les suspects ont fait l'objet d'enquêtes par le F.B.I. et le service de sécurité du Royaume-Uni et la plus entière coopération a été accordée à ces deux organismes.

Durant l'année 1945, il y eut disette de cigarettes aux États-Unis, disette attribuable aux grandes quantités de cigarettes expédiées outre-mer aux membres des forces armées. Il en est résulté une situation tout à fait extraordinaire car, en dépit des prix beaucoup plus bas pour les cigarettes sur le marché américain, les Américains achetaient des cigarettes de fabrication canadienne pour exportation aux États-Unis. Cette situation fut de courte durée et c'est le contraire qui qu'on retrouve maintenant comme le font voir les saisies par la douane de cigarettes de contrebande, principalement en provenance de l'Est des États-Unis.

Même à la fin de la guerre (1939/1945), la G.R.C. du Québec était responsable de toutes sortes de fonctions du temps de guerre, ce qui devint un sérieux problème à cause du manque de personnel. C'est alors que l'Inspecteur HARVISON, second en charge de la division "C", proposa la "ré-institution" "ré-incarcération" de l'unité de Réserve étant donné qu'il y avait des milliers de volontaires qui se présentaient aux bureaux.

Pour le Québec, une ou deux troupes furent recrutées pour accomplir diverses fonctions reliées à la sécurité du pays telles les enquêtes et le travail de garde dans le Port de Montréal. Les membres travaillaient soit en civil ou en uniforme brun pour les parades et l'entraînement. Ils ont fourni gracieusement leurs services à l'effort de la guerre et leur contribution a été un exemple de patriotisme.

On peut noter que, en 1949, la Gendarmerie transporta ses quartiers dans l'édifice ayant déjà servi comme entrepôt aux manufactures, situé au 4095 de la rue Ste-Catherine Ouest. Le "4095", comme on se plaisait souvent à l'appeler, ne suffisait plus. D'ailleurs, les services administratifs et une partie importante du service des enquêtes judiciaires avaient déjà désertés le vieil édifice pour occuper des locaux au coin des rues Guy et Maisonneuve.

Ces vieux quartiers servirent jusqu'en 1974, année où ils furent remplacés par un nouvel édifice érigé spécialement pour la G.R.C. et situé au 4225 boul. Dorchester ouest, à Westmount.

Ici, il faut se rappeler que le premier quartier général de la Gendarmerie à Montréal était toujours dans le bel édifice de pierres anciennes, en bordure de la rue Sherbrooke, à l'angle sud-ouest de l'avenue McGill College. Cette ancienne demeure privée de style victorien, tenait lieu, non seulement de bureaux, mais aussi de casernes. Cette maison servit de quartier général à la division "C" jusqu'en 1939, époque à laquelle on put trouver des quartiers généraux beaucoup plus spacieux à l'intérieur du bureau de poste, au numéro 131 de la rue St-Jacques Ouest.

Trafic de faux coupons de beurre durant la guerre

Le 16 avril 1946, l'épicier J.-A. Salvail, établi au no 3636 de la rue Rouen à Montréal, avoua à l'équipe d'enquête sur le marché clandestin qu'il avait acheté de Rodolphe Hamel, laitier domicilié au no 3741 de la rue Hochelaga, Montréal, au prix de 3 $ les cent coupons, sept feuilles de faux coupons de beurre découverts dans son dépôt, par le Centre de vérification des coupons, succursale de la Commission des prix et du commerce en temps de guerre, à Montréal. Rodolphe Hamel répondit à l'interrogatoire qu'il avait obtenu 1 400 faux coupons de beurre de Lionel Rozon, un employé de la laiterie J.-J. Joubert de Montréal, moyennant 3 $ les cent coupons. Il précisa qu'il avait fourni 700 coupons à l'épicier Salvail et 700 autres à un certain Ducharme de Saint-Valérien, au Québec, qui lui avaient livré du beurre en retour.

Après l'interrogation, Hamel consentit à présenter l'un des enquêteurs à Lionel Rozon, l'entrepreneur; le 19 avril 1946, ce dernier vendait 315 faux coupons à l'un de nos agents déguisé en garçon épicier. On arrêta Rozon qui accusa un dénommé Pierre-Paul Cantin de lui avoir vendu 2 500 faux coupons de beurre.

L'enquête se poursuivant, on découvrit qu'un restaurateur nommé Omer Lapierre avait acheté du même Cantin 200 faux coupons au prix de 2,50 $ les cent coupons. Lapierre voulut bien collaborer avec la Gendarmerie. Le 19 avril 1946, il commandait à Cantin 1 200 coupons de beurre qu'il reçut par la poste. On arrêta Cantin au moment où il se présentait à Lapierre pour se faire payer. Il révéla que les coupons provenaient de Joseph-Bernard Boissonnault, 2465 rue Rachel est, à Montréal.

Cantin avoua en outre qu'il avait écoulé quelque 120 000 coupons de beurre fournis par Boissonnault ou sa femme, Mme Dorothée Boissonnault. Il les payait sous 62 cents les cent coupons, quitte à les revendre 1,25 $ les cent coupons, soit un bénéfice de cent pour 100. Il prétendait avoir procuré 80 000 coupons à un voyageur de commerce inconnu venant probablement du Nouveau-Brunswick et 30 000 autres coupons à un laitier de Montréal nommé Léo Langevin.

Cantin ignorait alors où se trouvait la presse à imprimer des contrefactions. Il avait cependant observé des taches d'encre sur les mains et la robe de Mme Boissonnault. Cantin demeura en communication constante avec les Boissonnault. Le 23 avril 1946, des gendarmes surveillèrent un rendez-vous, dans le quartier commercial de Montréal, au cours duquel Mme Boissonnault remit à Cantin un paquet contenant environ 43 000 faux coupons de beurre.

N'ayant pu découvrir l'emplacement de la presse, on jugea préférable de surveiller Mme Boissonnault plutôt que de l'arrêter. Les jours suivants, on prit l'automobile de Boissonnault en filature. Le 27 avril 1946, on le suivit au no 1225 rue Seymour, à Montréal, où Boissonnault s'était déjà rendu plusieurs fois. Chacune de ses visites durait assez longtemps. Les gendarmes qui filaient la voiture réclamèrent du renfort par radio. Un peu avant midi, on fit une descente dans la maison où l'on trouva au sous-sol Joseph-Bernard Boissonnault en compagnie de Raymond-Jules Pilon derrière un mur de refend. On y saisit une presse à imprimer, du papier, des outils, une cinquantaine de feuilles de faux coupons et quatre clichés, dont deux servaient à la confection des coupons de beurre et les deux autres à celle de coupons de sucre.

L'imprimeur Raymond-Jules Pilon affirma qu'il avait aidé Boissonnault à monter la presse, mais qu'il avait appris, quelques instants à peine avant l'arrivée de la police, la nature du travail qu'on lui proposait. L'excuse ne tenait pas debout, étant donné qu'il avait obtenu de l'imprimerie de son père quatre rames de papier en vue de l'impression.

Joseph-Bernard Boissonnault n'en était pas à son premier délit en ce qui avait trait au commerce illégal des coupons de rationnement. Durant l'été 1945, son beau-frère et lui-même avaient mis en circulation un demi-million de faux coupons de sucre dans la région du lac Saint-Jean. Reconnu coupable, Boissonnault s'était vu condamner à une amende de 2 000 $ ou à six mois de prison. Tout porte à croire qu'il avait entrepris la contrefaçon des coupons de beurre en vue de payer l'amende imposée par suite du premier délit.

Appréhendé, Boissonnault refusa d'éclairer la police sur son activité. On arrêta Boissonnault, sa femme Dorothée et Raymond-Jules Pilon. Le 18 juin 1946, le juge A. Monet condamnait Joseph-Bernard Boissonnault à une amende de 5 000 $ plus les frais ou à deux ans d'emprisonnement, Mme Bernard (Dorothée) Boissonnault à une amende de 1 000 $ plus les frais ou à six mois d'emprisonnement et Raymond-Jules Pilon à la même peine. Boissonnault n'ayant pas payé l'amende a purgé une peine de deux ans d'emprisonnement.

Vol de tickets de rationnement

À l'automne 1946, le bureau de vérification des coupons à Ottawa, relevant de la Commission des prix et du commerce en temps de guerre, nota que plusieurs feuilles de coupons de rationnement présentées par des épiciers de la région, détaillants ou grossistes, semblaient endommagées et décolorées. Le bruit courait que les coupons en cause provenaient de la papeterie E.B. Eddy Co. Ltd., établie à Hull (Québec) où, depuis septembre 1945, des inspecteurs de la Commission des prix avaient déposé, dans un malaxeur, des coupons à détruire. Un dénonciateur anonyme révélait à la même époque ces détails à la Gendarmerie. La Commission des prix pria la Gendarmerie d'enquêter sur quelque 15 000 coupons irréguliers recueillis par ses fonctionnaires.

L'analyse confiée à des experts indiqua que des particules de pâte à papier adhéraient aux coupons dont la surface glacée était à moitié disparue. On s'aperçut, en les examinant au microscope, qu'un grand nombre de fibres étaient soulevées comme le poil d'un tapis. Quelques coupons paraissaient troués ou frangés. À ces signes et par suite d'autres expériences, on conclut que les coupons étaient passés au malaxeur.

L'enquête qui suivit exigea beaucoup de persévérance et de ténacité. Elle démontra que le commerce des coupons de rationnement se faisait à l'usine sur une grande échelle. Par divers subterfuges, on avait récupéré les coupons du malaxeur avant leur destruction. Plusieurs ouvriers étaient mêlés à l'affaire, au su de leurs camarades. Le malaxeur, destiné à transformer des chiffons de papier en pâte, était formé d'une cuve ovale, longue d'environ seize pieds et large de huit, contenant quatre pieds d'eau tourbillonnant sous la poussée du courant et de la vapeur. Un cylindre tournant muni de lames, pivotait rapidement sur un axe horizontal. Un couvercle de métal ferme la machine. Sous la cuve, une grosse soupape d'échappement, qu'on peut ouvrir à la main, donnait sur un réservoir d'eau.

Les ouvriers de l'usine mirent au point une façon ingénieuse de récupérer les coupons jetés au malaxeur pour y être détruits. Des paniers de fil de fer fabriqués à l'atelier et des filets adroitement dissimulés par les mécaniciens d'outillage sous la capote du rotor retenaient les coupons avant qu'ils ne fussent déchiquetés. On mit un crible à la soupape d'échappement. On alla même jusqu'à introduire une volige de deux pouces sur quatre dans le tuyau de décharge pour empêcher les coupons de s'échapper du malaxeur où ils s'amassaient dans les nasses. Ou bien, on poussait du pied un levier, invisible au surveillant, qui ouvrait un clapet par où les coupons tombaient dans le réservoir inférieur avant de se désagréger. On les repêchait au moyen de sceaux emmanchés de longs bâtons.

Pour vider les nasses, les ouvriers n'hésitaient pas à plonger dans la cuve, dans un tourbillon de pâte et d'eau qui leur montait jusqu'à la poitrine, même alors que la machine fonctionnait. On s'arrangeait pour appeler le surintendant de l'usine dans un atelier éloigné pendant qu'un complice récupérait les coupons. Certains employés quittaient leur poste et se joignaient à leurs camarades en congé pour assister à la livraison des coupons destinés au malaxeur.

Les coupons ainsi récupérés servaient à quelques-uns à obtenir des suppléments de denrées rationnées. D'autres étaient vendus à des particuliers, y compris des épiciers et des bouchers qui évitaient de contrôler leur origine. Il a fallu mener une enquête approfondie pour mettre à jour toutes les facettes de l'affaire. Les autorités de l'usine ont prêté généreusement leur concours à nos agents au cours des interrogatoires préliminaires.

Au début de 1947, les recherches aboutirent à l'inculpation de quarante-huit suspects sous 124 chefs d'accusation, en vertu des règlements édictés par la Commission des prix et du commerce en temps de guerre. Seize procès eurent lieu à la cour de police d'Ottawa, trente à la cour de district de Hull et deux à la cour de comté de Carleton. Quarante-six des prévenus furent reconnus coupables. On cassa un jugement en appel, le témoignage de trois dénonciateurs n'étant corroboré par aucune preuve. On arrêta les poursuites contre un autre inculpé qui n'avait joué qu'un rôle insignifiant dans le complot. Le total des amendes imposées s'est chiffré par 9 550 $ et les frais ont atteint 139 $. Dix-neuf des quarante-six condamnés étaient à l'emploi de la papeterie et la plupart des autres exploitaient des épiceries ou des boucheries à Hull ou à Ottawa.

Quinze mille faux coupons ont servi de pièces à conviction au cours des procès, mais il est impossible de fixer le nombre des cartes écoulées sur le marché noir, puisque les vols, commencés en décembre 1945, se sont poursuivis jusqu'en septembre 1946, alors que l'enquête précitée a réussi à y mettre un terme.

Effectif de la G.R.C. au Québec, division "C" 1949

Montréal	132
Amos	1
Bedford	2
Bersimis	2
Cabano	3
Carleton	3
Caughanawaga	3
Chicoutimi	3
- Coaticook	2
- Drummondville	2
Gaspé	1
Hemmingford	2
Huntingdon	2
Lacolle	6
Matane	1
Mégantic	2
Montmagny	3
Québec	15
Rimouski	3
Rivière-du-Loup	2
Roberval	1
Rock-Island	2
Rouyn	2
St-Georges-de-Beauce	2
Saint-Jean	4
- Sept-Iles	1
- Sherbrooke	5
Sainte-Agathe	1
Sutton	2
- Thetford-Mines	1
- Trois-Rivières	2
Val-d'Or	3
En congé	1
- En mission spéciale	1

TOTAL   210

Service de répression

Pendant l'année, on a opéré 2 106 saisies d'articles de contrebande, soit un accroissement modéré par rapport au chiffre de 1 835 pour l'année précédente. Le groupe le plus important de saisies se rattache à la contrebande des cigarettes. En quantités marchandes, ce genre de trafic s'exerce surtout aux régions frontalières de la province de Québec. Au cours de l'année, on a saisi en tout 3 847 600 cigarettes américaines, dont 2 176 000 l'ont été par la division "C". Il est à mentionner que les cigarettes figuraient d'abord à la liste des importations prohibées, dressée sous l'empire du programme de conservation du dollar, mais en ont été rayées le 1er janvier 1949. Cependant, le taux élevé des droits et les impôts qui frappent les importations de cigarettes fournit un fort stimulant à l'activité des contrebandiers.

Sauf en ce qui a trait au trafic des cigarettes, la répression de la contrebande a été efficace au pays; la majeure partie des saisies opérées pour infractions à la loi des douanes se bornaient à divers petits articles destinés à l'usage personnel des contrevenants. Jusqu'ici, aucun signe positif de contrebande de spiritueux par voie maritime, présentant la même ampleur qu'avant la guerre, n'est apparu, mais le service a les yeux ouverts, afin de prendre les mesures nécessaires, au cas où les contrebandiers tenteraient de reprendre ce trafic. Les saisies de boissons alcooliques qui ont été effectuées comprennent presque exclusivement des bouteilles non déclarées à la douane et qu'on a trouvées à bord de bateaux. Ces articles appartiennent d'ordinaire à des membres de l'équipage de navires venant de l'étranger.

Port-Alfred, port situé à l'embouchure du Saguenay, a pris une grande importance au cours de l'année, surtout à cause du va-et-vient considérable des bateaux hauturiers qu'entraîne l'exportation de la grande usine d'aluminium établie dans la région au cours de la guerre. On y a opéré nombre de saisies d'articles de contrebande, surtout des cigarettes et de l'alcool.

On a effectué en tout la saisie de 522 véhicules à moteur, ainsi que celle de 75 bateaux de divers genres, sous l'empire de la loi des douanes.

Liste des commandants au 31 mars 1949

Quartier général de la G.R.C., Ottawa (Ont.):
- Le commissaire S.T. Wood, C.M.G.
- Le sous-commissaire C.K. Gray
- Le commissaire adjoint L.H. Nicholson, M.B.E., commandant du département "C"
- Le surintendant J.-P.-A. Savoie, commandant du département "S"

Divisions:
- Division "A", Ottawa (Ont.)
  Surintendant O. Larivière
- Division "C", Montréal (Qué.)
  Surintendant J. Brunet
- Division "D", Winnipeg (Man.)
  Commissaire adjoint J.D. Bird
- Division E", Vancouver (C.-B.)
  Surintendant J. Healey
- Division "F", Régina (Sask.)
  Commissaire adjoint C.E. Rivett-Carnac
- Division "G", Ottawa (Ont.)
  Inspecteur H.H. Cronkhite
- Division "H", Halifax (N.-E.)

Commissaire adjoint R. Armitage
- Division "J", Fredericton (N.-B.)
Surintendant D.L. McGibbon
- Division "K", Edmonton (Alb.)
Commissaire adjoint A.T. Belcher

CHAPITRE IV - LES ANNÉES 50

John Charles Young

En avril 1949, John Charles Young a débuté dans le trafic des drogues narcotiques en se proposant de former une bande grâce à laquelle il espérait acquérir le monopole du trafic des stupéfiants à Montréal. Il avait également l'intention de finir par étendre son monopole à Toronto et à d'autres centres importants.

Lorsque, le 7 juillet 1949, des membres de la brigade des stupéfiants ont arrêté un certain Walter Sillanpaa, à l'aéroport de Dorval, au moment où il allait monter à bord d'un avion en direction de Vancouver, ils ont trouvé sur lui une once d'héroïne non empaquetée et 27 capsules de la même drogue. Une enquête subséquente a révélé qu'il les avait achetées de Young et l'on a recueilli des preuves dont l'ensemble a formé la base d'une inculpation de conspiration visant au transport de narcotiques, portée contre Young et Sillanpaa.

Young ne fut pas arrêté immédiatement, car l'on croyait qu'il dissimulait dans son logis une provision de stupéfiants. Nous finîmes par réussir à découvrir son logis et une perquisition, effectuée le 26 septembre 1949, nous permit de saisir approximativement 52 onces d'héroïne, ainsi que deux mitrailleuses, plusieurs autres armes à feu et une certaine quantité de cartouches. Young fut arrêté et inculpé de possession illégale de stupéfiants, en violation de l'article 4(1)d) de la loi de l'opium et des drogues narcotiques. Au moment de son arrestation, il était en liberté provisoire sous caution en attendant son procès sous l'inculpation d'avoir trempé par assistance dans le meurtre à coups de feu de deux policiers municipaux de Montréal, en aidant deux des meurtriers à prendre la fuite. Par la suite, il fut trouvé coupable de ce chef et condamné à quatre années d'emprisonnement.

Depuis, en vertu de l'article 575 du Code pénal, un deuxième chef d'accusation, celui d'être un criminel invétéré, fut ajouté à l'inculpation de possession illégale de stupéfiants.

La saisie d'héroïne dans cette affaire fut l'une des plus grosses effectuées depuis des années et il ressort de la perquisition faite au logis de l'inculpé qu'il avait bien pris ses mesures pour livrer une grande quantité de stupéfiants.

Un prêtre dans le trafic des narcotiques

En avril 1949, un agent secret de la Gendarmerie fit la connaissance d'un certain Jean-Claude Laprès, soupçonné du trafic des stupéfiants, et réussit à lui acheter, ainsi que d'un consort, Rosaire Delisle, une once d'héroïne. On apprit plus tard qu'un prêtre du nom de l'abbé Joseph-A. Taillefer était l'intermédiaire entre les pourvoyeurs principaux et Laprès et, au moment voulu, l'agent secret acheta encore six onces d'héroïne.

De nouvelles recherches révélèrent que le prêtre vendait l'héroïne pour le compte du nommé Michel Sisco. L'agent réussit finalement à faire la connaissance de ce dernier, mais malgré tous ses efforts pour acheter directement de Sisco, ce dernier s'y refusa, déclarant qu'il pouvait lui procurer n'importe quelle quantité d'héroïne, mais que le marché devait être conclu par l'intermédiaire de Taillefer comme auparavant. Il fut décidé alors d'en commander un kilo (approximativement 32 onces) et de ne rien négliger pour impliquer Sisco dans la conspiration.

Le dernier achat de 32 onces fut fait le 14 septembre 1949 et Sisco entra inopinément en scène aux côtés de Taillefer. Il l'accompagna à la banque, où il fut arrêté avec Taillefer aussitôt après avoir touché l'argent. Des perquisitions subséquentes procurèrent des preuves supplémentaires, écrites, qui renforcèrent l'inculpation de conspiration.

Quelque temps après, Laprès et Delisle furent mis en prison préventive et tous les quatre furent inculpés de conspiration visant à distribuer des stupéfiants, en plus de l'inculpation de trafic des narcotiques. Taillefer, ayant plaidé coupable le 28 octobre 1949, fut condamné à deux ans d'emprisonnement et à une amende de 1 000$ ou, à défaut, de quatre mois de détention pour chacune des trois accusations de conspiration et des trois autres de vente illicite, avec confusion des peines.

Les causes de Delisle et Laprès furent en instance devant les tribunaux, ainsi que celle de Sisco qui s'enfuit en janvier 1950 alors qu'il était en liberté provisoire sous un cautionnement de 10 000 $. Nous avions perdu sa trace, bien que sa photographie et son signalement aient été envoyés à tous les corps de la force publique du Canada et des États-Unis.

Contrebande de réfrigérateurs

Au cours d'une enquête relative à la contrebande de glacières électriques des États-Unis, le détachement de Montréal s'arrangea avec le propriétaire d'un magasin local d'appareils électriques pour prendre, le 7 octobre 1949, la direction du magasin pendant quelque temps, quand on apprit que certaines personnes abordaient des marchands de Montréal dans le but de leur vendre des appareils de contrebande. À la date mentionnée, deux personnes, Benny Sacks et Frank Levy, se présentèrent en taxi pour négocier la vente de douze "Frigidaires G.M.".

Les enquêteurs, déguisés en commis de magasin, leur firent savoir en quelques mots que la proposition n'aurait d'intérêt que s'ils pouvaient voir la marchandise; là-dessus, on téléphona du magasin, afin de faire transporter les douze glacières au magasin dans un camion "Fargo". Les agents remarquèrent qu'une auto à conduite intérieure de marque Buick, avec Carl Sinray au volant, guidait le camion chargé. Des gendarmes postés dans le voisinage immédiat et munis d'instructions arrêtèrent toutes les personnes en cause: Benny Sacks, Frank Levy, Carl Sinray et les deux occupants du camion, Rhéal Brière et Réal Boileau. Inculpés tous d'un acte criminel en vertu de l'article 217-3 de la Loi des douanes, ils plaidèrent coupables et chacun fut condamné à une amende de 200 $ et aux dépens ou, à défaut, à un an de prison. La voiture Buick, le camion "Fargo" et les douze glacières furent confisquées en vertu des dispositions de la Loi des douanes.

Le premier policier de la G.R.C. abattu en devoir au Québec

À 12 h 16 de l'après-midi, le 25 mai 1950, un homme se présenta au guichet du caissier de la succursale de la Banque de Toronto, située à l'intersection de la côte Beaver Hall et de la rue Dorchester, à Montréal, et braquant un revolver sur la caissière, lui dit: "Haut les mains". La jeune fille se mis à crier et, sortant à reculons de sa cage, elle s'écroula sur le plancher. Surpris par le tour que prenaient les événements, le bandit s'enfuit par une porte latérale donnant accès au vestibule de la partie de l'édifice qu'occupe le C.I.L. La porte s'ouvrait à l'intérieur. Énervé, il poussa au lieu de tirer. Ne pouvant l'ouvrir, il fit volte-face, revint à la course sur ses pas et sortit dans la rue par la porte principale de la banque.

Entre-temps, le gérant de la banque, M.S.G. Bickley, sortit dans la rue par la porte que le bandit avait essayé d'ouvrir et l'aperçut à quelques pas de lui seulement. Le gérant aperçut également le gendarme Alexander Gamman, qui s'en allait chez lui pour dîner et lui cria qu'un vol à main armée venait de se produire. L'homme tira un coup de feu contre M. Bickley, le blessant à la jambe, et le gérant s'écroula sur le trottoir. Le gendarme Gamman, qui était un gendarme de la police montée de faction à la Banque du Canada, tout près, était en uniforme mais sans arme, tenta d'agripper le bandit et fut blessé mortellement par un coup tiré à bout portant. L'homme marcha jusqu'à l'intersection et tenta de pénétrer dans l'auto d'un particulier pour s'enfuir mais il fut contrecarré par le conducteur qui saisit les clés d'allumage et déguerpit. Le bandit décampa à pied et avait disparu quand des agents de police parvinrent sur les lieux. On apprit plus tard qu'il s'était dirigé vers l'est dans la rue Dorchester et qu'après avoir fait des détours, il avait hélé un chauffeur de taxi de la compagnie "Diamond" à l'intersection des rues Busby Lane et Craig et que le chauffeur l'avait emmené. Le trajet suivi par le bandit était clairement marqué par des taches de sang, signe indiquant qu'il s'était blessé en se collctant avec le gendarme Gamman. Des détectives municipaux ramassèrent dans la rue, à l'endroit où les coups de feu avaient été tirés, trois douilles déchargées pour revolver automatique de calibre 0.32. La balle extraite au cours de l'autopsie du cadavre du gendarme Gamman était de calibre 0.32.

M. Bickley et le gendarme furent transportés à l'hôpital immédiatement après avoir été blessés. Le second avait été frappé dans la région du cœur, la balle ayant pénétré dans le côté gauche de la poitrine puis, faisant un crochet vers le bas, s'était logée dans les muscles du bassin. Il mourut à l'hôpital le 26 mai 1950. Deux autres balles avaient transpercé son uniforme au bas de la poche gauche et de la poche droite, se dirigeant vers le bas, mais n'infligeant aucune blessure.

La police de la ville de Montréal ouvrit immédiatement une enquête et grâce à la collaboration de la compagnie de taxi "Diamond", repéra un taxi qui révéla l'existence de taches de sang sur le siège arrière. Le chauffeur, qui était libre, fut repéré le matin du 26 mai et, au cours de son interrogatoire par des détectives, révéla qu'il avait pris un client à l'intersection des rues Craig et Busby Lane, environ quinze minutes après la tentative de vol à main armée. Sur les instructions de l'occupant du taxi, il se dirigea vers Terrebonne, et entre ce village et le Bout-de-l'Ile, il acheta dans un petit magasin une paire de salopettes, du savon et une serviette. De là, l'homme lui ordonna de continuer jusqu'au Bout-de-l'Ile et de traverser le pont Charlemagne où il débarqua, lui payant dix dollars pour le voyage.

La suite de l'enquête révéla qu'un homme, répondant à la description du fugitif, avait acheté dans une pharmacie de l'Est de Montréal, de la gaze et d'autres médicaments. D'après certains indices, le bandit avait lavé et pansé sa plaie sur les bords de la rivière Lachenaie dans le voisinage du pont Charlemagne. Mais toute trace de l'homme recherché disparut alors, malgré une battue serrée exécutée à Montréal et dans ses environs. L'offre d'une récompense de 5 000 $ fut annoncée par l'Association des banquiers canadiens, pour tout renseignement susceptible d'amener la capture du bandit. Elle fut portée, plus tard, à 10 000 $.

La police de Montréal perquisitionna dans tous les hôtels et dans toutes les maisons de location de chambres de la ville et le 3 juin 1950, au cours d'une visite courante à l'hôtel Arcade, 943 rue Windsor, on apprit que le jour même, l'hôtel avait reçu par la poste la clé de la chambre 128 avec son numéro attaché. L'envoi était accompagné d'une lettre de Hilton Cutts, de Hornepayne, en Ontario, expliquant que la clé avait été trouvée dans une boîte à ordures à la gare locale du National-Canadien.

Il fut constaté à l'hôtel Arcade que le 17 mai 1950, la chambre 128 avait été occupée par un homme qui s'était inscrit sous le nom de C. Loring ou Laring, de Brockville. D'après la description fournie par les employés de l'hôtel, l'homme avait environ 40 ans, était haut de 6 ou 6 pieds 2 pouces et pesait environ 200 à 215 livres, description qui correspondait presque exactement à celle de l'homme recherché. "Loring" était demeuré à l'hôtel jusqu'au matin du 25 mai, puis il était parti pour ne plus revenir. Ses effets personnels avaient été enlevés et entreposés et les détectives purent les examiner. Parmi ses effets, se trouvait un manteau de pluie de grande taille, que plusieurs témoins déclarèrent semblable à celui que portait un gros homme auteur de plusieurs vols à main armée dans la région de Montréal depuis le début de janvier de la même année. La police du National-Canadien, à Hornepayne, reçut immédiatement instruction de pousser l'enquête à cet endroit.

Il semblait alors probable que le fugitif puisse se diriger vers l'ouest et toute la force publique à l'Ouest de Hornepayne fut avisée d'ouvrir l'oeil et d'appréhender tout homme répondant à la description de "Loring". Le 14 juin, un policier du Pacifique-Canadien faisant l'inspection d'un train de marchandises quittant les cours de Moose-Jaw en Saskatchewan, trouva un homme sur une plate-forme roulante chargée de camions de l'armée. L'homme dirigea une arme à la tête du policier en lui disant: "Descends, et reste en bas, ou je te flanque une balle dans la peau". Il continua de tenir le policier en joue jusqu'à ce qu'il fut à l'arrière du train. D'après la description faite par le policier, il avait une quarantaine d'années, une taille de 6 pieds et deux pouces et pesait 190 livres. Le policier rapporta l'incident au chef du train qui se trouvait dans le fourgon arrière et celui-ci, sortant son revolver, s'approcha du wagon à haussettes, par le côté opposé, mais le vagabond avait disparu. à ce moment-là, le train s'était ébranlé et toute recherche était impossible avant son prochain arrêt, à Parkberg, environ trente milles à l'ouest. Là, on ne put trouver aucune trace de l'homme. Toute la force policière de la région fut alertée et une description de l'homme recherché fut radiodiffusée à différents intervalles sur un réseau radiophonique de Moose-Jaw.

La poursuite, au cours de laquelle on utilisa des chiens policiers et des avions, eut pour théâtre le Sud des provinces des Prairies. D'après des renseignements reçus d'Assiniboine, un homme de passage s'était informé, à cet endroit, des correspondances ferroviaires vers le sud et avait paru curieux de savoir quelle distance le séparait des États-Unis. On saisit de la chose les autorités à la frontière, ainsi que le Service des douanes des États-Unis, les fonctionnaires de l'Immigration, les patrouilles de route de l'État de Montana et les bureaux des shérifs. On retrouva la piste du vagabond jusqu'à Big-Beaver en Saskatchewan d'où, sans le sou et boitant misérablement, il se proposait apparemment d'entrer aux États-Unis. Il avait acheté de la nourriture et une paire de chaussettes dans un magasin et on l'avait aperçu à midi le 16 juin, se dirigeant vers l'est sur la voie ferrée. Comme Big-Beaver est le terminus du chemin de fer et qu'une seule route mène du hameau vers l'est, le chien policier "Pal" réussit à retrouver la trace du fugitif et à repérer l'endroit où il avait mangé, mis ses chaussettes neuves et abandonné un pansement. La trace fut finalement perdue à cause de la circulation intense sur la route.

D'après un autre rapport, le vagabond avait été vu vers neuf heures du soir sur la grand-route, à environ deux milles au nord de la frontière, habillé de gris, portant un petit paquet de papier et boitant. Une patrouille de la Gendarmerie se rendit en vitesse à l'endroit désigné où elle apprit que le fugitif avait été aperçu à un mille et demi au nord de l'entrée de Big-Beaver à 9 h 30 du soir, c'est-à-dire environ une heure avant l'arrivée de la patrouille.

Comme une seule route traverse la frontière à cet endroit et comme le terrain environnant est accidenté et impraticable, les recherches furent abandonnées pour la nuit. On savait que l'homme recherché boitait et qu'il était évidemment incapable d'aller bien loin à pied, vu le court trajet parcouru par lui pendant qu'il était poursuivi. On savait, de plus, qu'il était armé, aux abois, qu'il tirerait probablement à la moindre provocation et que la nuit lui donnerait un avantage sur toute équipe de poursuite.

On avertit tous les gens de la région avoisinante d'avoir l'œil ouvert. Les routes furent fermées par des barrages. À la levée du jour, un avion de la Gendarmerie survola la région, tandis que des patrouilles fouillaient le district. En outre, M. Paul Berger, de Whitetail, au Montana, localité située immédiatement au sud de la frontière, survola le district, à intervalles, dans son propre avion. Les shérifs de Scobey et de Plentywood, au Montana, collaborèrent avec la patrouille routière de l'État en parcourant tous les chemins menant à Whitetail.

Le 17 juin, vers 11 heures du matin, un citoyen de Whitetail aperçut un vagabond qui sortait de dessous le quai de chargement du "Great Northern Railway", à Whitetail et en avertit immédiatement le shérif de Scobey. Le vagabond marcha jusqu'au hameau de Whitetail, mendia 25 cents à un citoyen de l'endroit et se dirigea ensuite vers le sud sur la grand-route no 13 des États-Unis. Tous les automobilistes circulant sur cette route furent avertis de ne pas faire monter l'homme. Étroitement surveillé des airs et sur terre, il fut arrêté à 11 h 15 du matin, par le shérif Pat Horton de Scobey. On trouva sur la personne du suspect un revolver automatique de calibre 0.32 pleinement chargé; l'homme souffrait d'une plaie causée par une balle à la cuisse gauche et ses vêtements étaient tout ensanglantés, apparemment du fait de sa blessure.

Le suspect, qui dit se nommer Thomas Rossler, fut incarcéré à la prison du comté, à Scobey, et accusé de possession illicite d'une arme. Rossler fut remis par la suite au service de l'Immigration et de la naturalisation des États-Unis et refusa, au cours de l'enquête qui suivit, de révéler sa nationalité ou ses antécédents. Il fut expulsé et remis le 18 juin aux membres de la Gendarmerie à Big-Beaver, en Saskatchewan.

Rossler reçut la mise en garde réglementaire et on l'informa qu'il était arrêté pour le meurtre du gendarme Gamman, à Montréal. Interrogé, il déclara que sa blessure ne le faisait pas souffrir. Dans l'auto de police qui le conduisait sous escorte à Régina, Rossler fit les déclarations suivantes, dont un membre de la Gendarmerie prit note:

"Je n'avais pas conscience d'avoir été frappé d'une
balle. Je courais depuis deux coins de rue, ou du
moins un, lorsque je me suis rendu compte que mes
pantalons étaient imprégnés de sang."

Rossler ajouta plus tard:

"Qu'a dit le policier du chemin de fer, à Moose-
Jaw? Je gage qu'il était effrayé. Je lui ai ordonné de
déguerpir! Je ne croyais pas qu'il avouerait avoir été
menacé d'un revolver."

Après un silence, il dit:

"Vous êtes bien convaincus d'avoir arrêté votre homme. Ma blessure et le revolver calibre 0.32 m'incriminent. Sans ma rencontre avec le policier à Moose-Jaw, ma fuite aurait réussi!... Je savais alors qu'il me fallait courir pour atteindre la frontière. Je savais qu'on avait retrouvé ma trace jusqu'à Hornepayne. Je n'avais plus d'argent depuis Brandon. Lorsque j'ai essayé d'effectuer vol à la banque de Montréal, j'aurais pu aussi bien tirer sur la caissière."

Quand on lui demanda qui l'avait frappé d'un coup de feu, il répondit:

"Je ne sais pas. Ce doit être le gérant. Il me tira dessus trois ou quatre fois. Je ne voulais pas tirer sur le gendarme. Le gérant tirait dans ma direction et le gendarme s'est élancé sur moi; alors je ne pensais qu'à presser la gâchette... J'ai perpétré plusieurs vols à main armée, mais c'est la première fois que j'ai dû me servir de mon arme. Personne n'aime subir la pendaison. C'est la fatalité qui a voulu que le gendarme se trouvât là à ce moment. S'il ne s'était pas élancé sur moi... Je buvais trop d'alcool. La vue de la caissière à l'hôtel Arcade, qui comptait de l'argent, m'a inspiré l'idée du vol et je me suis immédiatement rendu à la banque pour essayer de la dévaliser. Le whisky et les armes sont inconciliables."

Au cours de conversations subséquentes, Rossler avoua avoir tiré trois fois sur le gendarme Gamman et deux fois sur le gérant de banque. Il refusa de parler de ses allées et venues après son départ de

Montréal, mais il affirma n'être jamais resté en place et n'avoir pas dormi plus d'une heure à la fois depuis qu'il avait été blessé.

Le 19 juin, Rossler fut accusé de possession illicite d'une arme et mis en prévention sans exciper d'une excuse; il fut remis trois jours plus tard à des agents de police municipaux de Montréal qui l'escortèrent jusqu'à cette ville pour qu'il fût traduit en justice sous l'accusation de meurtre.

Arrivé à Montréal deux jours plus tard, Rossler fut placé le 26 juin dans un groupe de personnes pour être confronté avec les victimes de douze vols à main armée commis entre le 28 janvier et le 20 mai 1950. Dans tous les cas, les témoins désignèrent l'accusé comme étant la personne qui avait pénétré dans leur établissement commercial pour les voler à la pointe d'un revolver.

Le lendemain, Rossler fut encore une fois désigné au milieu d'un groupe de personnes confrontées par dix-sept témoins du vol à main armée à la succursale de la Banque de Toronto, de la côte Beaver-Hall, le 25 mai. Les témoins comprenaient les employés de la banque et ceux de l'hôtel Arcade où l'accusé s'était inscrit sous le nom de C. Loring.

Le 13 juillet, Rossler comparut, pour exposer librement les faits, devant le juge T.A. Fontaine, sous l'accusation du meurtre du gendarme Alexander Gamman. Le prisonnier, ne présentant aucune défense, fut condamné à être traduit devant la Cour d'assises, à la session suivante.

Son procès, qui commença le 12 septembre devant le juge Wilfrid Lazure et un jury, dura deux jours. L'accusé défendit lui-même sa cause et décrivit avec force détails comment il avait tiré sur le gendarme Gamman et M. Bickley et raconta les événements qui se déroulèrent par la suite jusqu'au moment de son arrestation. Rossler maintint qu'il n'avait jamais eu l'intention de tuer le gendarme, mais le fait qu'il avait tiré trois fois tendait à prouver le contraire. Le jury délibéra très brièvement avant de rendre un verdict de culpabilité. Le juge Lazure prononça la sentence de mort qui fut exécutée à la prison de Montréal, le 15 décembre 1950.

La carrière criminelle de Rossler avait commencé à Vancouver (C.-B.), en 1923, et il avait subi huit condamnations à Vancouver, Calgary, Prince-Rupert, au Canada, et Kalispell, Libby et Seattle aux États-Unis. Il avoua à la police qu'étant en liberté, il vivait entièrement du produit de vols à main armée et autres.

Au cours de l'enquête qui amena la capture de Rossler, une méthode intéressante fut imaginée par un membre du Service d'identification de la Gendarmerie à Ottawa. Il se rendit à Montréal, le 12 juin 1950, et interrogea des témoins en vue d'obtenir des renseignements de première main relativement à la description du bandit. Les renseignements obtenus servirent à façonner un portrait-robot de l'homme que les témoins purent observer plus tard en vue de proposer les changements nécessaires. Les témoins interrogés furent unanimes à déclarer que le masque était une excellente ressemblance de l'homme recherché. Rossler fut arrêté le 17 juin avant que l'on puisse utiliser l'effigie, mais il fut photographié à plusieurs reprises à la suite de sa capture et les photographies furent comparées avec le masque en vue d'apprécier cette méthode d'identification. Compte tenu des vingt livres qu'avait perdues le bandit et des traits fatigués et tirés de sa figure, résultat des privations subies au cours d'une fuite de 2 000 milles, on considéra que le masque atteignait une ressemblance remarquable.

Cette affaire a mis en lumière l'excellente collaboration apportée par les nombreux corps policiers et organismes d'exécution des lois, qui ont tous contribué à la solution heureuse de l'enquête, menée dans les lieux aussi éloignés que Montréal, l'Ouest canadien et l'État du Montana.

Effectif et répartition au 31 mars 1951
Division "C"

DÉTACHEMENT	EFFECTIF	AUTOMOBILES
Montréal – Quartier général	Commissaire-adjoint: 1 Surintendant: 1 Inspecteurs: 2 S.é.-m.: 4 Sergents: 6 Caporaux: 19 Gendarmes: 88 G.s.: 15 M.c.: 22	33 4 Camions auto
Amos	Caporal: 1	1
Bedford	Caporal: 1 Gendarmes: 3	1
Bersimis	Caporal: 1 Gendarme: 1	
Carleton	Gendarme: 1	1
Caughnawaga	Gendarme: 1	1
Chicoutimi	Caporal: 1 Gendarme:1	1
Coaticook	Gendarmes: 2	1
Drummondville	Caporal: 1 Gendarmes: 2	1
Escourt	Gendarmes: 2	1
Granby	Gendarmes: 3	2
Hemmingford	Caporal: 1 Gendarme: 1	1

DÉTACHEMENT	EFFECTIF	AUTOMOBILES
Huntingdon	Gendarmes: 4	2
Joliette	Gendarmes: 2	1
Lacolle	Caporal: 1 Gendarme: 1	1
Mégantic	Gendarmes: 3	1
Montmagny	Caporal:1 Gendarmes: 3	1
Québec	Sous-insp.: 2 S.é.-m.: 1 Sergent: 1 Caporaux: 5 Gendarmes: 10 G.s.: 1	8
Rimouski	Sergent: 1 Gendarmes: 2	2
Rivière-du-Loup	Caporal: 1 Gendarme: 1	1
Roberval	Gendarme: 1	1
Rock-Island	Caporal: 1 Gendarmes: 2	1
Rouyn	Caporal: 1 Gendarme: 1	1
St-George-de-Beauce	Gendarmes: 2	1
Saint-Jean	Sergent:1 Caporal: 1 Gendarmes: 3 Membre civil: 1	3
Saint-Jérôme	Caporal: 1 Gendarme: 1	2

DÉTACHEMENT	EFFECTIF	AUTOMOBILES
Sept-Îles	Gendarme: 1	
Sherbrooke	Sergent: 1 Caporal: 1 Gendarmes: 5 G.s.: 1 Membres civils: 2	3
Sutton	Caporal: 1 Gendarme: 1	1
Trois-Rivières	Caporal: 1 Gendarmes: 2	1
Val d'Or	Sergent: 1 Gendarmes: 3	2
Valleyfield	Caporal: 1 Gendarmes: 2	1
En service commandé	0	
En congé	S.é.-m.: 1 Caporal: 1 Gendarmes: 6	

TOTAL POUR LA DIVISION "C"

Commissaire:	0	Cheval de selle:	0
Sous-commissaire:	0	Cheval de trait:	0
Commissaire-adjoint	1	Chien policier:	0
Méd.-pathologiste:	0	Chien de traîneau:	0
Surintendant:	1	Avion	0
Inspecteurs:	2	Automobiles	80
Sous-inspecteurs:	2	Camions-automobiles:	4
Sergents:	11	Auto-neige fermée:	0
Caporaux:	42		
Gendarmes:	156		
Gendarmes spéciaux:	17		
Membres civils:	25		
TOTAL	262		

Contrebande de cigarettes à St-Nicolas Station

Deux véhicules, qui n'avaient pas arrêté à un endroit de la route où se tenaient des agents pour procéder à des inspections dans le but de découvrir les infractions à la Loi des douanes, furent poursuivis sur une longue distance. L'un d'eux, une Dodge 1940, immatriculée au nom d'Adalbert Veilleux, fut saisie après qu'elle eut capoté sur une partie glacée de la route et qu'on y eut trouvé 192 000 cigarettes de contrebande. La voiture, au moment de la saisie, était conduite par Alcide Veilleux, frère d'Adalbert.

Des recherches et une enquête plus poussée amenèrent la saisie de 600 cigarettes chez Alcide et de 346 000 chez Adalbert. On saisit également l'autre automobile qui avait échappé à la chasse.

D'après une liste de numéros de téléphone trouvée sur Adalbert Veilleux, il semblait que des cigarettes étaient fournies à un certain nombre de présumés trafiquants. Grâce à ce renseignement, on saisit chez six autres personnes un total de 239 360 cigarettes. De plus, on apprit que de fortes quantités avaient déjà été distribuées. Comme conséquence des poursuites intentées en vertu de la loi pertinente, le docteur J. Dallaire, J.-C. Bélanger, A. Dallaire, P.-E. Dallaire, P. Dion et Marcel Trépanier, tous de la ville de Québec, furent condamnés à des amendes variant de 50 $ à 200 $.

Alcide Veilleux fut poursuivi en vertu de l'article 217(3) et aussi, pour n'avoir pas arrêté sa voiture, en vertu de l'article 257 de la Loi des douanes. Il a dû payer des amendes de 200 $ et de 50 $, plus les frais.

Adalbert Veilleux fut poursuivi sous trois chefs d'accusation en vertu de l'article 217(3) et sous un autre chef d'accusation en vertu de l'article 257. Sous les trois premiers chefs d'accusation, il s'avoua coupable et dut payer une amende de 200 $, plus les frais, dans chaque cas. Il s'avoua coupable de n'avoir pas arrêté sa voiture et paya une amende de 50 $ plus les frais.

Disparition d'un conducteur d'automobile

Pour les membres du détachement de la Gendarmerie royale de Shediac (N.-B.), l'enquête qui avait été instituée au sujet de l'accident de voiture subi par Laurent Dubé était une affaire courante. Mais elle devint fort intrigante lorsqu'ils ne purent trouver le conducteur de la voiture.

Il n'était pas sur la scène de l'accident, le soir du 8 janvier 1951, lorsque les gendarmes y arrivèrent. Aux yeux de ceux-ci, la cause de l'accident était assez évidente. La voiture, une Chevrolet à deux portières, modèle 1950, portant des plaques d'immatriculation de

Québec, voyageait à une allure raisonnable sur la route no 15, vers la ville de Shediac. Soudain, près de l'entrée du pont Foche, le conducteur en avait perdu la maîtrise sur la route glacée et la voiture, après avoir frappé un garde-fou en acier et un poteau en bois, s'était arrêtée, l'avant surplombant la rivière Scoudouc, à une quinzaine de pieds de la berge.

Les gendarmes constatèrent, à l'intérieur de la voiture, que l'allumage était ouvert. Le nom inscrit sur l'attache du trousseau de clés et les trois livrets de commandes de la "Success Wax Limited" de Québec, trouvés dans la serviette sur le siège avant, était bien celui de Laurent Dubé, 1004 2ᵉ avenue, à Québec. Toutefois, il n'y avait aucune trace de Dubé dans le voisinage.

Plusieurs jours plus tard, et après l'ouverture d'une enquête d'envergure provinciale, les faits recueillis par la police tendaient simplement à rendre l'affaire bien mystérieuse. Plusieurs personnes avaient dépassé la voiture de Dubé après l'accident mais, ne voyant personne autour, elles avaient continué leur route en pensant que le conducteur était allé chercher de l'aide. Toutefois, un conducteur déclara qu'il avait suivi la voiture et l'avait vue frapper le pont. Mais arrivé à l'endroit en cause, il n'avait vu personne ni à l'intérieur ni près du véhicule. Deux hommes qui voyageaient ensemble ont dit à la police qu'ils avaient remarqué un homme vêtu d'un complet bleu et portant un béret en tartan, debout, à l'arrière de la voiture; toutefois, ils ont prétendu que c'était le 7 janvier, la veille où l'accident est censé s'être produit. Un passant exprima l'opinion qu'au moment où il remarqua la voiture, le 8 janvier, les eaux de la rivière Scoudouc étaient extrêmement hautes et qu'elles avaient presque atteint le niveau de la route.

Ce dernier renseignement porta la police à croire que Dubé avait pu glisser de la berge dans la rivière au moment où il descendait de sa voiture pour examiner les dommages. Le seul endroit de la rivière où l'eau était libre de glace à ce moment-là était au-dessous du pont Foche. Rien ne confirmait cependant cette opinion, vu que la neige était restée intacte le long de la rive. Le dragage de la rivière ne donna aucun résultat.

Le 11 janvier, on apprit de Moncton que Dubé s'était inscrit le 3 janvier à l'hôtel Windsor. On l'avait vu pour la dernière fois le 8 janvier où il dit à un ami qu'il se rendait ce jour-là en voyage d'affaires à Shediac et qu'il reviendrait le soir même vers 9 h. C'est ce qu'on avait lieu de croire, après une perquisition à sa chambre où l'on trouva plusieurs articles d'habillement, un sac de voyage et une mallette lui appartenant. On fit circuler dans toutes les provinces Maritimes le signalement du disparu. Entre autres choses, on savait qu'il portait, le jour de son départ de Moncton, un béret Balmoral distinctif, de couleur bleu marine avec bande en tartan rouge et blanc, ainsi qu'un insigne du Thistle Curling Club. Des recherches faites à tous les établissements commerciaux, garages, hôpitaux de Shediac et Moncton n'aboutirent à aucun résultat.

Entre-temps, l'enquête menée à son foyer dans la ville de Québec et auprès de son patron ne révéla pas la moindre raison pour laquelle il eût pu désirer disparaître volontairement. On apprit cependant que la société que représentait Dubé lui avait envoyé par télégraphe 50$ et, à cet égard, le bureau financier de la société à Toronto fit rapport que, le 13 avril 1951, rien n'indiquait que la somme avait été encaissée.

On en vint à la conclusion que Dubé était mort. On accepta généralement l'idée qu'il s'était noyé dans la rivière Scoudouc, sans savoir cependant s'il s'agissait d'un accident ou d'un suicide. Des pêcheurs, qui avaient constamment scruté la rivière depuis sa disparition, n'avaient rien découvert.

Le 22 avril, un résident de Shediac découvrit un béret à la marée basse à cinq cents verges au nord-est du Pont Foche. Il fut nettement établi qu'il appartenait à Dubé. Le dragage reprit donc de plus belle, mais bien que les opérations aient été poursuivies durant l'été, son corps n'a pas été retrouvé.

Comme Dubé avait fait partie de l'Armée canadienne, on s'adressa à cette source pour vérifier tous les renseignements qu'on pourrait avoir à son dossier au sujet de ses antécédents et de ses états de service. On apprit que Dubé s'était un jour blessé à un doigt à tel point qu'il en était résulté un évanouissement et une chute sur le plancher, à l'occasion de laquelle il s'était frappé l'arrière de la tête. On n'avait cependant aucun indice qu'il eût souffert d'aucun mauvais effet de cette chute.

En mars 1953, on n'avait encore trouvé aucune trace du disparu. Puis, deux ans et vingt jours après l'étrange disparition de Dubé, des membres de la division des enquêtes en matière criminelle de la Gendarmerie royale d'Halifax (N.-E.), apprirent qu'un homme répondant à sa description, sauf la moustache, avait été observé dans le voisinage de l'infirmerie d'Halifax. On vérifia la chose sur place et l'on constata que l'homme, inscrit sous le nom de Paul Dupuis, y était employé à titre d'infirmier depuis le 16 janvier 1951, soit huit jours après l'accident.

Interviewé le 1er février 1953, Dupuis semblait extrêmement nerveux lorsque l'enquêteur s'est présenté. Il raconta qu'il y avait dans sa vie un vide, un trou, et qu'il ne se souvenait de rien. Il dit qu'il n'avait signalé la chose à personne de peur qu'on l'internât dans un établissement pour maladies mentales.

Il consentit à faire prendre ses empreintes digitales que l'on compara aux empreintes conservées au bureau d'identification de l'Armée canadienne. On établit nettement que Paul Dupuis était en réalité Laurent Dubé.

108

Publications de la G.R.C.

Il serait doute intéressant de dresser une courte liste des documents publiés par G.R.C. vers 1954. La brochure "La loi et l'ordre dans la démocratie canadienne" renfermait une série d'essais sur les principes fondamentaux et le développement de la loi et de l'ordre au Canada. L'année précédente, un chapitre sur les crimes de guerre avait été ajouté et le chapitre traitant du communisme avait été augmenté. La brochure avait été réimprimée et distribuée; elle était aussi en vente chez l'Imprimeur de la Reine, à Ottawa (Ontario).

Le "R.C.M.P. Quarterly" était la publication officielle du corps policier. Le tirage payé était de 9 697 exemplaires et, du point de vue financier, l'année avait été excellente. Le "Quarterly" renfermait le résumé d'affaires récentes, des articles d'intérêt historique et général et des articles éducatifs sur les progrès les plus récents de la recherche scientifique portant sur le crime.

La brochure "Une carrière en serge rouge" avait été publiée l'année précédente dans le but de fournir aux recrues un aperçu général des origines, des traditions et des tâches de la Gendarmerie. Elle avait été fort appréciée et il avait fallu en restreindre la distribution à ceux à qui elle était destinée.

Le numéro d'"Actualités" qui portait sur la Gendarmerie avait été réimprimé aux fins de distribution générale. Il contenait un résumé assez concis de l'historique de la Gendarmerie et de ses tâches.

Le "Tire Tread Book" de la G.R.C., manuel rédigé afin d'aider les gendarmes affectés aux opérations à repérer les empreintes de pneus, avait été imprimé et distribué au cours de l'année 1954.

109

Services de la Division de la marine

La Division de la marine, dont le quartier général est à Halifax, a tenu 26 bateaux en activité sur les côtes de l'Est et celles de l'Ouest ainsi que sur les Grands lacs. Voici la liste de ces navires:

Navires et ports d'attache

Halifax (N.-E.)
- R.C.M.P.S. "Irving"
- R.C.M.P.S. "MacBrien"
- R.C.M.P.S. "French"
- R.C.M.P.S. "SCHR Saint-Roch"
- Chaloupe à moteur "Fort-Pitt"
- Chaloupe à moteur "Fort-Walsh"
- Patrouilleur "Big-Bend"

Sydney-Nord (N.-E.)
- Patrouilleur "Brulé"

Yarmouth (N.-E.)
- Patrouilleur "Slideout"

Saint-Jean (N.-B.)
- Patrouilleur "Willow-Bunch"

Québec (P.Q.)
- Patrouilleur "Grenfell"

Montréal (P.Q.)
- Patrouilleur "Moosomin"

Kingston (Ontario)
- Patrouilleur "Carrduff"

Sault-Sainte-Marie
- Patrouilleur "Chilcoot"

Sarnia (Ontario)
- Patrouilleur "Cutknife"

Toronto (Ontario)
- Patrouilleur "Shaunavon"

Windsor (Ontario)
- Patrouilleur "Tagish"

Kenora (Ontario)
- Canot automobile "Kenora"

Fort-Frances (Ontario)
- Canot automobile "Fort-Frances"

Vancouver (C.-B.)
- Patrouilleur "Little-Bow"

Ganges (C.-B.)
- M/L 6

Campbell River (C.-B.)
- M/L 9

Port-Alice (C.-B.)
- M/10

Prince-Rupert (C.-B.)
- M/L 15

Port-Alberni (C.-B.)
- M/L 16

Ocean-Falls (C.-B.)   M/L 17

Zeballos (C.-B.)   M/L 1

Section canine

Comparée à l'année financière précédente, l'activité de la Section canine s'est accrue d'environ 12 %. Dans tout le Canada, on a utilisé 851 fois les 15 chiens: deux Doberman-Pinchers et 13 chiens bergers allemands. Il y a lieu de signaler que l'usage des chiens diminue d'année en année pour des recherches qui relèvent de l'accise et des spiritueux. Il se confirme que certaines gens commencent à se rendre compte qu'il n'existe plus de cachette sûre une fois le commandement "Booze" donné aux chiens. D'autre part, pour traquer des criminels, pour rechercher des objets perdus ou des personnes égarées ou disparues, on recourt davantage aux chiens et avec de plus en plus de succès. Voici le détail en pourcentage des 851 cas où l'on a employé des chiens:

Poursuites de criminels...   26.8% des cas
                                    46.6% de succès

Personnes égarées ou disparues...   20% des cas
                                    33.3% de succès

Recherche d'objets...   12.2% des cas
                                    45.6% de succès

Accises et spiritueux...   41% des cas
                                    15.7% de succès

On a formé six nouveaux maîtres que l'on a adjoint à la section pour en remplacer d'autres. Six chiens ont été écartés parce qu'ils étaient trop vieux ou ne donnaient pas satisfaction. On les a remplacés par d'autres. à l'heure actuelle, on est à dresser six autres chiens au centre d'entraînement de Sydney (N.-E.).

Les chenils de Sydney ont été agrandis et améliorés au cours de l'année. Le remplacement des voitures ordinaires par des fourgons ou des camions de livraison a sensiblement amélioré le transport des chiens quand on les emploie. La G.R.C. obtient de bons résultats en faisant elle-même l'élevage.

Effectif de la Division "C" en 1954

Au 31 mars 1954, l'effectif de la division "C" s'élève à 307 membres et les détachements et municipalités où le service de police est assuré par la G.R.C. sont les suivants:

Québec - DIVISION "C":	Quartier général:	Montréal
	Subdivisions:	Montréal
		Québec

Détachements:

Amos	Huntingdon	Roberval
Bedford Joliette	Rock-Island	
Bersimis	Lacolle	St-Georges-de-Beauce
Cabano	Mégantic	Saint-Jean
Camp Valcartier	Montmagny	Saint-Jérôme
Caughnawaga	Montréal	Sept-Îles
Chicoutimi	Noranda	Sherbrooke
Coaticook	Québec	Sutton
Drummondville	Restigouche	Trois-Rivières
Granby	Rimouski	Val-d§Or
Hemmingford	Rivière-du-Loup	Valleyfield

CHAPITRE V - LES ANNÉES 60

Le fameux "Cotroni"

Avant le mois de mars 1959, le Bureau des narcotiques des États-Unis et la Gendarmerie royale du Canada savaient que Giuseppe Cotroni, de Montréal, était le principal pourvoyeur de narcotiques dans l'Est des États-Unis et au Canada et l'on s'est efforcé de mettre fin à son trafic illicite.

Par suite d'un plan élaboré par la Gendarmerie et le Bureau des narcotiques des États-Unis, l'agent de ce Bureau et un employé spécial qui était au courant des méthodes de travail de Cotroni sont venus à Montréal le 28 avril 1959 dans le dessein de le rencontrer. Il fut convenu que les opérations et les enquêtes seraient effectuées sous l'autorité et la surveillance de la Gendarmerie royale du Canada. L'employé spécial gagna la confiance de Cotroni et l'agent des États-Unis fut présenté comme le partenaire spécial de l'employé pour le trafic illicite dans la ville de New York. Des dispositions furent prises en vue de l'achat de deux kilogrammes d'héroïne à une date ultérieure.

L'agent des États-Unis et l'employé spécial revinrent à Montréal le 2 juin et achetèrent deux kilogrammes d'héroïne de Cotroni. René Robert, un des complices de Cotroni, assistait aux négociations qui eurent lieu lorsque les narcotiques furent livrés. Un montant de 13 800 $ fut versé à Cotroni. À l'épreuve, cette drogue se révéla d'une teneur de 98.2 pour 100 en diacétylmorphine.

Dans des circonstances semblables, le 18 juin, deux autres kilogrammes d'héroïne furent achetés du même individu au prix de 14 000 $, Robert aidant de nouveau à la livraison de ce narcotique. En

115

outre, Cotroni fournit deux autres kilogrammes d'héroïne à crédit, après entente que cet achat serait acquitté au moment de la transaction suivante. À l'épreuve, ce stupéfiant se révéla d'une teneur de 100 pour 100 en diacétylmorphine.

Le 24 juin, Cotroni et Robert arrivèrent à New York afin de s'entretenir avec l'employé spécial et l'agent du Bureau des narcotiques des États-Unis. Il était évident que Cotroni avait pour but, notamment, au cours de ce voyage, de s'enquérir davantage du statut de ces deux personnes et, comme il ne découvrit apparemment aucun indice contraire aux renseignements qu'il possédait déjà, des dispositions furent prises en vue de conclure un troisième achat. Lorsque Cotroni demanda d'être payé pour les deux kilos qu'il avait déjà livrés à ces deux personnes à Montréal "en consignation", on lui remit la somme de 1 000 $ en signe de bonne foi.

Le 8 juillet, l'agent des États-Unis et le dénonciateur rencontrèrent de nouveau Cotroni, à Montréal, après entente préalable d'acheter une autre quantité d'héroïne. Quand on constata qu'il était impossible d'en venir à un accord, Cotroni et Robert furent appréhendés.

Le Bureau des narcotiques des États-Unis et la Gendarmerie royale partagèrent à parts égales le coût de l'héroïne et les narcotiques furent remis à la Gendarmerie pour servir de preuve devant les tribunaux.

Le 15 octobre, une commission rogatoire siégea à New York afin d'entendre les dépositions de l'employé spécial qui ne pouvait se présenter en toute sécurité à Montréal, où il aurait pu être victime de représailles. Le procès des accusés se poursuivit à Montréal au cours du mois d'octobre et les deux inculpés plaidèrent coupables à l'accusation d'avoir pratiqué le commerce illégal des narcotiques. Dans cette cause, on s'attendait à des difficultés considérables; mais, après que la poursuite eût produit des preuves accablantes, Cotroni et Robert admirent leur culpabilité.

Cotroni fut condamné à dix ans d'emprisonnement et à une amende de 60 000 $ et on lui a ordonné de restituer la somme de 28000 $ au gouvernement du Canada.

Cette enquête révéla la nécessité de la collaboration entre les diverses forces policières qui s'occupaient de problèmes similaires à l'échelon local ou national aussi bien qu'à l'échelon international. Le tribunal a félicité le Bureau des narcotiques des États-Unis et la Gendarmerie royale du Canada pour leur conduite exemplaire et pour la compétence dont ils avaient fait preuve dans la conduite de cette affaire.

Patrouilles en traîneaux à chiens

Ceux qui connaissent les voyages en traîneaux à chiens d'après les livres, le cinéma et la télévision ou qui ont joué simplement le rôle d'observateurs, bien au chaud dans une pièce confortable, s'imaginent que ce moyen de locomotion est sensationnel et romanesque. Dans la pratique, les voyages en traîneaux à chiens sont une source d'émotions fortes, mais ils sont aussi épuisants Le critique en pantoufles est difficile à convaincre du danger que ces voyages comportent, mais les quelques exemples qui suivent serviront peut-être à renseigner le public.

Les deux membres du détachement d'Alexandra Fiord franchirent la calotte glaciaire de l'île d'Ellesmere pour se rendre à la station météorologique d'Eureka située sur la côte Ouest. Cette patrouille présentait beaucoup de difficultés, indépendamment de la température et des conditions de voyage, car il fallait escalader la paroi perpendiculaire d'un glacier avec les traîneaux et tout le matériel.

Les deux patrouilleurs, accompagnés de quatre Esquimaux, se rendirent tout d'abord avec leurs cinq traîneaux jusqu'à la base du glacier. Depuis 1952, le glacier avait considérablement reculé de sorte que sa pente douce, qu'un attelage de chiens pouvait autrefois remonter en l'abordant de plain-pied, s'était transformée en un énorme mur de glace mesurant en moyenne de cinquante à cent pieds de hauteur.

On employa la première journée à hisser les traîneaux, les chiens et le matériel jusqu'au sommet du mur; la nuit suivante, le groupe coucha sous une tente installée sur une pente de trente degrés. Puis on entreprit la dure montée d'environ quinze milles jusqu'au sommet du glacier qui se profilait dans le ciel à 3 000 pieds plus haut. On avança d'abord sur une surface dure; mais, à mesure que l'on montait, la couche de neige devenait de plus en plus épaisse et moelleuse. Vers le soir, un fort vent contraire s'éleva, accompagné de rafales, qui empêchaient de voir devant soi. Enfin, on atteignit le sommet du glacier. L'un des deux gendarmes et un Esquimau continuèrent leur chemin en direction d'Eureka, comme il avait été prévu, et les autres retournèrent à Alexandra Fiord.

À Eureka, l'Esquimau désobéit aux ordres et devint tellement rebelle qu'on le renvoya avec le traîneau de la Gendarmerie et une partie de l'attelage de chiens. Le gendarme construisit un nouveau traîneau et prit par radio les dispositions nécessaires afin qu'un patrouilleur d'Alexandra Fiord vienne le rencontrer au sommet de la calotte glaciaire et l'aide à descendre jusqu'aux glaces de la mer.

Les deux patrouilleurs se mirent en route comme la chose avait été entendue; mais, comme ils approchaient du point de rencontre, une forte tempête de neige rendit la visibilité presque nulle et les patrouilleurs se croisèrent sans se rencontrer. Ils se rendirent bientôt compte que quelque chose n'allait pas. Le patrouilleur d'Alexandra Fiord poussa jusqu'à Eureka croyant que son compagnon avait peut-être subi un contretemps. Peu de temps après, le patrouilleur d'Eureka croisa la piste encore fraîche de l'autre gendarme, comprit ce qui était arrivé et revint à Eureka. Les deux hommes retournèrent à Alexandra Fiord sans autre mésaventure. Les patrouilleurs en question avaient parcouru 1 302 milles.

Le trajet entre Grise Fiord, sur l'île d'Ellesmere, et Resolute Bay, sur l'île Cornwallis, soit un parcours total de 1 200 milles, a été accompli deux fois par des patrouilles à l'aide d'attelages de chiens. Ce voyage comporte la traversée de l'île Devon, qui nécessite une journée de marche et, bien que cela paraisse curieux en cette partie du pays, le manque de neige a gêné considérablement la marche des patrouilles. Le détachement de Spence Bay a organisé une grande chasse aux phoques en vue de constituer des caches pour la nourriture des chiens pendant l'hiver. En tout, on a parcouru 1 787 milles et on a tué 193 phoques.

À cinq reprises, des membres du détachement de Herschel Island, dans le Territoire du Yukon, se sont rendus à Aklavik (Territoires du Nord-Ouest) à l'aide d'attelages de chiens. Dans cette région, les conditions de voyage varient considérablement et, lorsqu'elles ont été favorables, les patrouilleurs ont accompli le trajet en un temps record. Une fois, l'an dernier, un gendarme a parcouru en deux jours les 195 milles qui séparent les deux localités.

Une affaire intéressante

John Troscinski, marié et père de trois enfants, tenait une petite imprimerie à Larder-Lake, dans l'Ontario septentrional, non loin de la frontière de Québec. Selon toutes les apparences, l'imprimerie ne servait pas d'autre but; c'était une petite entreprise au service d'une petite municipalité, permettant tout au plus un train de vie modeste à son propriétaire et à sa famille.

Au cours de l'automne 1959, un employé de l'imprimerie a fait par hasard une remarque qui est devenue le point de départ d'un soupçon dont n'a pu se débarrasser l'enquêteur de la G.R.C.. Cette remarque faite à un membre du détachement de Kirkland-Lake, consistait en une question relative aux photographies et imprimés pornographiques mis en circulation au pays. Peu de temps après, le membre en question, assistant à un match de football à Larder-Lake, surprit la conversation échangée entre deux jeunes gens sur la possibilité de se procurer dans la région un certain genre de littérature pornographique, qu'ils appelaient des "livres de filles". C'est alors que l'agent se souvint de la conversation qu'il avait eue précédemment avec l'employé de Troscinski et qu'il établit une relation entre la littérature pornographique et l'imprimerie.

Le service de police de Larder-Lake a alors été mis au courant. Pendant quelques mois, on n'a plus entendu parler de rien; mais l'affaire était loin d'être oubliée et l'impression que "quelque chose clochait" à l'imprimerie commença à hanter tant l'inspecteur de la G.R.C. que le service de police de Larder-Lake.

Enfin, le 24 juillet 1960, un membre de la police de Larder-Lake obtenait le renseignement supplémentaire qu'on attendait. On trouva dans les rues de la municipalité une jeune Indienne errant en état d'ivresse. Le policier la questionna et elle révéla que Troscinski venait de lui demander de poser en vue de prendre certaines photographies d'un goût douteux. À la suite de ce renseignement, le service de police de Larder-Lake reçut l'autorisation de perquisitionner au domicile et à l'atelier de Troscinski. Étant donné qu'une imprimerie était en cause et qu'il pouvait y avoir contrefaçon, chose qui relève de domaine fédéral, l'agent de la G.R.C. fut invité à participer à l'enquête devant avoir lieu.

La perquisition fut effectuée; peu de temps après avoir pénétré dans les locaux, on recueillit suffisamment de témoignages de l'existence d'un trafic d'éléments pornographiques pour arrêter l'individu. Une perquisition minutieuse de l'imprimerie permit de découvrir des négatifs d'un billet de banque canadien de 20 $, 17 faux billets de banque canadiens de 50 $ et un faux billet de banque canadien de 1 $, inachevé. L'accusé fut alors informé qu'il serait accusé de possession de fausse monnaie. On découvrit 52 faux billets de 100 $ dans un chapeau accroché dans le bureau. Le déplacement d'une partie de mur permit de découvrir 65 feuilles de papier partiellement imprimées en billets de 50 $ et de 100 $, de même qu'un certain nombre de plaques d'impression en offset et autres accessoires nécessaires à la fabrication illégale de billets de banque. On saisit un total de 16 000 $ en faux billets, outre des plaques et des presses, et du matériel photographique servant aux mêmes fins.

Les renseignements obtenus au cours de l'enquête ont conduit à l'arrestation d'un certain Fernand Thibault de Québec, chez qui une perquisition des lieux a permis de découvrir quelque 8 000 $ de fausse monnaie et 21 000 $ d'obligations volées, cachées dans les murs d'un garage attenant à son domicile.

La fabrication de la véritable monnaie canadienne s'entoure de bon nombre de précautions destinées à prévenir les contrefaçons. L'une de ces mesures a trait au genre et à la qualité du papier utilisé et les dispositions soigneuses dont on s'entoure pour éviter qu'il tombe entre les mains d'individus tels que John Troscinski. Par suite de l'impossibilité dans laquelle il se trouvait de se procurer un nouveau stock de papier pour billets de banque, Troscinski imagina un autre moyen ingénieux d'approvisionnement. Il obtient d'une banque locale une provision d'authentiques billets de 1 $, flambant neufs et frais sortis des presses d'un concurrent sûr (mais plus soumis aux lois que lui) dans le commerce d'impression de la monnaie, la "Canadian Bank Note Company Ltd". Il trempa ces coupures dans une solution décolorante qui fit totalement disparaître toute trace de l'encre d'origine. De la sorte, Troscinski s'approvisionna en un papier pour billets de banque déjà coupé aux dimensions requises et sur lequel il pouvait imprimer sa fausse monnaie au prix de revient de 1 $ pièce.

Le 24 octobre 1960, Troscinski comparut à Haileybury (Ontario) devant l'honorable juge J.R. Robinson, sous les deux chefs d'accusation suivants: violation de l'article 401 du Code pénal touchant la possession de matériel de contrefaçon de la monnaie et violation de l'article 393 ayant trait à la possession de fausse monnaie. L'inculpé fut déclaré coupable dans les deux cas et condamné à cinq ans de pénitencier. Il fut également condamné à six mois de prison pour possession d'imprimés pornographiques, à la suite de l'accusation portée contre lui par la police de Larder-Lake.

Par ailleurs, Fernand Thibault fut arrêté à Québec sous l'inculpation de violation de l'article 393 relatif à la possession de fausse monnaie et condamné à deux ans de pénitencier.

On voit, par ce qui précède, comment la vigilance et l'attention qu'apporte un policier aux petits détails et à la singularité des faits conduisent au succès d'une enquête qui, n'eût été une remarque faite par hasard, aurait sans aucun doute coûté des milliers de dollars en enquête, sans compter les pertes subies par les victimes.

La contrefaçon

Au cours de l'année financière 1962-1963, plusieurs enquêtes ont permis de retirer de la circulation 173 816 $ de fausse monnaie canadienne; en plus, 175 295 $ ont été saisis ou autrement recouvrés. En outre, quelque 32 330 $ de fausse monnaie américaine ont été l'objet d'une saisie.

Il faut continuer de porter une attention particulière à la question de la mise en circulation de faux billets. Ce qui suit est le résumé d'une enquête fructueuse menée dans la ville de Montréal durant l'année qui vient de s'écouler.

Le 21 septembre 1962, les membres de la gendarmerie de Montréal ont mis la main sur 4 faux billets canadiens de 5 $, grâce à des renseignements provenant d'une source confidentielle. L'origine de ces billets était inconnue. Néanmoins, les agents de la gendarmerie ont établi un plan d'action systématique qui consistait à se mettre en rapport avec toutes les sources d'information de la région.

Leur travail s'est poursuivi toute la nuit et, le lendemain matin, à 9 heures, un informateur leur procurait un premier indice prometteur en mentionnant le nom du suspect possible, en l'occurrence un nommé Clifford ROBERTS, âgé de 19 ans, résidant rue Bleury à Montréal. Après une surveillance de douze heures, ROBERTS était repéré au moment où il rentrait chez lui et, au cours d'une perquisition opérée à son domicile, les gendarmes ont trouvé 22 faux billets de 5 $ canadiens dans sa chambre à coucher; tous ces billets portaient le numéro de série Y/C 4534709.

Le même soir, certains renseignements ont révélé que ROBERTS fréquentait un unijambiste. La brigade de répression de la contrefaçon connaissait deux amputés et l'enquête s'est efforcée dès lors d'établir les récents faits et gestes de ces deux hommes. L'un d'eux, Léo Lacombe, fut repéré dans sa Cadillac 1957 aux environs de la rue Bleury à 10 heures du soir, le 22 septembre. Une fouille de sa voiture se révéla négative mais on y trouva un objet suspect qu'il semblait incapable ou peu désireux de justifier. Il s'agissait d'une clef de contact qui n'appartenait pas à sa Cadillac mais qui semblait s'adapter à une voiture de la Compagnie Ford Motor.

Bien qu'à cette étape de l'enquête, cette clef fut un indice assez vague, les agents l'ont essayée sur toutes les automobiles qui étaient stationnées rue Bleury et dans les rues adjacentes. Trois heures plus tard, et après avoir essayé d'ouvrir 150 voitures, on a découvert que la clef s'adaptait à une conduite intérieure Monarch 1953 qui était garée dans une rue voisine. Les agents ont fouillé cette voiture et y ont trouvé 1 521 faux billets identiques à ceux qu'on venait de confisquer chez Clifford ROBERTS quelques heures auparavant.

L'enquête ultérieure révélait que Lacombe fréquentait une boîte de nuit vulgaire située sur le boulevard Saint-Laurent, dans le centre-ville. On a émis un ordre de perquisition que les membres de la police provinciale du Québec, de la police de Montréal, et les agents de la Gendarmerie royale du Canada ont exécuté. Bien qu'ils n'aient pas trouvé de faux billets au cours de cette fouille, les agents ont retenu un des garçons de comptoir, Roméo LACOSTE, pour l'interroger. Une autre fouille au chalet de LACOSTE, à Saint-Donat, révélait encore l'existence de 6,384 faux billets cachés dans une armoire. LACOSTE fut arrêté et conduit à la gendarmerie de Montréal pour enquête.

Peu après, les agents apprenaient qu'un nommé Johnny MAR-TIN, demeurant rue Rachel, à Montréal, avait eu des rapports avec LACOSTE. Ils ont alors vérifié, à pied, chaque côté de la rue Rachel et, le 24 septembre, vers 1 h 30 de l'après-midi, ils y repéraient une petite imprimerie exploitée par MARTIN. On mit immédiatement cette maison sous surveillance et, à 6 heures du soir, le suspect était appréhendé au moment où il y accédait par la porte d'entrée. Nos agents ont trouvé dans cette imprimerie complètement installée, la presse à imprimer en offset qui avait servi à l'impression des faux billets de 5 $. Ils ont saisi la presse en question ainsi que des planches photographiques, un appareil photo, de l'encre, du papier et divers autres objets.

Clifford ROBERTS et Léo LACOMBE ont été reconnus coupables de possession de fausse monnaie et condamnés à deux et à trois ans d'emprisonnement respectivement. D'autres plaintes contre LACOSTE et MARTIN ont aussi été retenus.

Il est intéressant de noter que, dans ce cas particulier, toute l'enquête n'a duré que 72 heures depuis l'obtention du premier renseignement jusqu'au moment de la saisie de la presse à imprimer, des objets connexes et de la réserve des faux billets.

Les 43 290 enquêtes relatives aux lois fédérales figurant au rapport de 1962-1963 représentent un accroissement de 200 enquêtes par rapport au total de l'année précédente, et cet accroissement est le premier qu'on ait enregistré dans ce domaine depuis 1957-1958.

La participation de la G.R.C. à EXPO 1967

L'année du Centenaire de la Confédération et l'Expo 67 ont obligé la Gendarmerie à faire des plans détaillés à tous les échelons du commandement et de l'administration pour assurer la sécurité et le confort de plus de cinquante chefs d'État, souverains et autres membres des familles royales qui devaient visiter le Canada en 1967.

On devait aussi s'attendre à d'autres visiteurs, moins agréables ceux-là, en la personne d'escrocs, de criminels internationaux et de conspirateurs contre certains gouvernements étrangers et prendre des mesures appropriées. Jamais dans l'histoire du Canada la Gendarmerie et les autres corps de police du pays n'avaient eu à s'occuper d'un aussi grand nombre de visiteurs de marque, sans compter les millions de touristes qui devaient visiter l'Expo 67 et toutes les provinces canadiennes.

Expo 67 a amené des milliers de visiteurs étrangers à Montréal durant l'année du centenaire du Canada. L'exposition internationale mit un fardeau additionnel sur les épaules de la division "C". La G.R.C. du Québec, assistée de membres de l'Ontario et de la division "Marine", avait comme tâche principale la protection des dignitaires étrangers et la sécurité du pavillon canadien. Lorsque le général Charles de Gaule, le président de la France, visita Expo 67, des membres de la G.R.C. vêtus d'habits civils pour assurer sa sécurité rapprochée, se mélangèrent à la très grande foule le pressant sur son passage.

Afin de rester le plus près possible du Général et en même temps apparaître naturel, il y a des policiers qui s'avançaient tout en criant "Vive de Gaule". Lorsque De Gaule serrait la main de ses admirateurs, bien souvent c'est un membre de la Police montée qui lui donnait la première poignée de main tout en s'assurant sa protection de façon anonyme.

Tout ce travail d'extra, nécessitant des journées longues et ardues, fut accompli, comme d'habitude, sans le bénéfice de rémunération supplémentaire.

Les membres de la G.R.C. à l'Expo 67 travaillèrent côte à côte avec les agents de la police de Montréal et de la Sûreté du Québec qui eux, parlaient ouvertement de l'argent qu'ils se faisaient avec le temps supplémentaire et les voyages et manteaux de fourrure pour leur épouse qu'ils pouvaient se payer. C'était une situation frustrante pour les membres de la G.R.C., mais en dépit de tout cela, ils se dévouèrent à la tâche et accomplirent un travail remarquable. La preuve, c'est que les dignitaires étrangers et le pavillon canadien ne furent victimes d'aucun incident significatif lors d'Expo 67.

La planification et la coordination du personnel pour assurer la sécurité des chefs d'État, de passage à l'Expo 67, était sous la gouverne du Commandant de la division "C", le commissaire adjoint J.R.R. Carrière, assisté de plusieurs membres de son état-major, notamment:

Surintendant	G. Paquette
Inspecteur	R. Duchesneau
Sergent-major	Pete Jutras
Inspecteur	L. Forest
Inspecteur	M. Sauvé

L'escorte motorisée habituelle qui accompagnait les dignitaires comprenait:

- une formation de motocyclistes de la police de Montréal,
- une auto-patrouille,
- la limousine du dignitaire avec un officier de la G.R.C. et un policier comme chauffeur,
- une voiture de la G.R.C. avec membres de la G.R.C. comme gardes du corps,
- les voitures officielles,
- une auto-patrouille de la G.R.C.,
- une formation de motards de la Sûreté municipale.

Dans les voitures de police, il y avait des membres des deux corps de police - la G.R.C. travaillant de concert avec les policiers de Montréal. Une patrouille de reconnaissance avait lieu avant le départ de chaque escorte motorisée afin de repérer les personnes susceptibles de causer quelque ennui aux visiteurs de marque et de signaler la présence de manifestants.

Le responsable de la limousine des chefs d'État était le gendarme Pierre Lamarre.

Un contingent de membres de la G.R.C. était également affecté à la garde des hôtels où étaient hébergés les chefs d'État. Le corps de garde des hôtels devait veiller à la sécurité des appartements occupés par les dignitaires de passage en effectuant, avant leur arrivée, une fouille minutieuse de chaque pièce et en y montant la garde jour et nuit.

La protection des pièces exposées au pavillon canadien fut confiée à la G.R.C. avec un contingent de 12 sous-officiers et 60 gardiens engagés pour la durée d'Expo.

Il ne faut pas oublier qu'Expo 67 a duré six mois et a accueilli 50 millions de visiteurs. Les pavillons les plus populaires furent: Union soviétique, Canada, États-Unis, France, Tchécoslovaquie et Grande Bretagne.

La reine Elizabeth II, le président de la France, le général Charles de Gaule, le président des États-Unis, Lyndon Johnson, le roi Constantin et la reine Anne-Marie de Grèce, le prince Rainier et la princesse Grace de Monaco furent les visiteurs les plus célèbres et des centaines de policiers travaillèrent à assurer leur sécurité.

On comprendra que la protection des chefs d'État et autres dignitaires en visite à l'Expo 67 a mis à rude épreuve la contribution des services de renseignements de la G.R.C., car il fallait assurer à ces dignitaires sécurité et quiétude au cours de leur visite. C'était la Direction de la Sécurité et des Renseignements qui fut chargée de s'acquitter de cette tâche d'envergure.

Ainsi, il fut nécessaire d'analyser avec soin la situation intérieure d'une centaine de pays étrangers, ainsi que l'attitude qu'elle pouvait susciter chez certains individus, groupes ou mouvements contestataires et extrémistes, ici même au Canada. Il a fallu repérer les personnes ou les groupes susceptibles de déranger ou d'ennuyer de quelque façon les visiteurs à l'Expo et par la suite, tenter de découvrir leurs desseins et mettre sur pied des mesures efficaces pour parer à toute éventualité.

Il suffisait souvent d'un simple appel au patriotisme des meneurs des différents groupes pour assurer l'ordre. Pourtant, on se devait parfois de recourir à diverses tactiques pour assurer une sécurité maximum à chacun des hôtes du Canada, tout en respectant le droit des Canadiens d'exprimer publiquement leur dissentiment.

Il n'est pas utile d'énumérer la variété des tactiques utilisées, cependant ce n'est un secret pour personne que les foules qui se pressaient pour apercevoir les célébrités en visite n'étaient pas uniquement composées de touristes curieux; et c'est ainsi que cette situation a provoqué l'un des incidents les plus amusants de l'année.

Au cours de la visite de la Reine, il avait été décidé sans préavis que le cortège royal ferait un tour de minirail. Cette décision avait momentanément jeté la panique parmi les forces de sécurité dont la tension était déjà fort considérable: il fallait à la dernière minute organiser des équipes, former des cordons de protection, etc.

Pour sa part, le commissaire de la G.R.C., George B. McClellan, qui était sur les lieux, devint fort soucieux et s'était posté devant un cordon de sécurité et scrutait la foule avec appréhension. Il ne tarda pas à repérer un énergumène barbu et mal fagoté, qui s'agitait énormément, semblant à tout prix vouloir traverser le cordon.

Devant le mur humain qui lui barrait le chemin, l'individu se résolut à exécuter un véritable plongeon sous le cordon, au nez du commissaire. Celui-ci, homme d'action depuis toujours, ne tarda pas à l'immobiliser d'une vigoureuse torsion du bras. Quelle ne fut pas la surprise du commissaire de constater, une fois revenu de son indignation furieuse, que le "desperado" qu'il avait intercepté n'était nul autre qu'un de ses propres hommes, soit un sergent du service de sécurité qui tentait de rejoindre son équipe dispersée par la foule. Ce fut la seule "arrestation" de cette journée mémorable.

Front de libération du Québec - 1963 - 1972

À l'automne de 1970, le Front de Libération du Québec entraîna le Canada dans la "crise d'octobre". Depuis 1963, la G.R.C. s'intéressait aux activités de ce mouvement subversif.

Le F.L.Q. était en quelque sorte un regroupement d'ultra-nationalistes du Québec. Les membres du F.L.Q. étaient considérés comme subversifs parce qu'ils avaient comme but de faire du Québec un État socialiste et séparé par la force et non par le biais de moyens pacifiques. Le F.L.Q. voulait séparer le Québec des neuf autres provinces de la Confédération sans l'approbation de la majorité des habitants du Québec et sans l'accord des autres provinces ou du gouvernement fédéral. Au début de leur organisation, les membres du F.L.Q. ont volé des armes, des explosifs et toutes sortes d'équipement requis pour leurs fins; ils ont même volé des banques pour financer leur mouvement.

Bien que les membres de la Police montée, en tant que police fédérale, aient été responsables d'enquêter sur les aspects subversifs du mouvement F.L.Q., ils n'étaient pas la police provinciale, ni municipale au Québec. Ainsi, c'est la Sûreté du Québec et la police municipale qui étaient principalement responsables d'enquêter sur les crimes commis par le F.L.Q. et ses sympathisants. Cependant, la G.R.C. avait une responsabilité particulière d'assister la police locale, surtout en ce qui concernait les attentats contre toute propriété du gouvernement fédéral. í cause des moyens mis à sa disposition pour la collecte de renseignements, la G.R.C. était en mesure d'aider la police locale en leur signalant les membres du F.L.Q. responsables d'autres crimes.

Les membres du F.L.Q. réalisèrent très rapidement que la G.R.C. représentait un obstacle de taille à leurs plans. Dans la nuit du 20 avril 1963, ils lancèrent une bombe au travers de la vitre du quartier général de la G.R.C., à Montréal, causant des dommages à l'édifice.

Le même soir, un gardien perdit la vie lorsqu'une bombe explosa dans une poubelle à un centre de recrutement de l'armée.

Durant les mois qui suivirent, la police et des artificiers de l'armée furent appelés à désamorcer plusieurs bombes, lesquelles avaient été placées dans des boîtes de courrier. Un artificier de l'armée fut presque tué mais survécut, estropié pour la vie.

En 1963, grâce aux efforts communs des corps de police du Québec, dix-huit personnes furent accusées de 165 crimes. Seize furent condamnés et la plupart reçurent de longues sentences d'emprisonnement. Par contre, d'autres membres du F.L.Q. continuèrent à commettre des crimes pour poursuivre leur mouvement révolutionnaire d'indépendance.

En janvier et février 1964, des membres du F.L.Q. et d'autres groupes semblables cambriolèrent deux armoiries et s'emparèrent d'un nombre considérable de fusils, de mitraillettes, de grenades et munitions. De février à avril, ils dérobèrent trois banques. En octobre, lorsque la reine Elizabeth visita la ville de Québec, elle le fit sous des menaces d'assassinat. Entre-temps, la G.R.C. avait appris que le F.L.Q. recevrait probablement de l'aide de Cuba et d'Algérie et que leur mouvement comprenait des personnes appuyant la thèse du communisme chinois. Les attentats à la bombe et les autres crimes continuèrent.

Durant les années 1965 et 1966, les membres du F.L.Q. volèrent de grandes quantités de dynamite sur des chantiers de construction, des armes et des munitions dans des armureries et même des uniformes d'un collège de cadets. Les attentats à la bombe tuèrent plusieurs personnes. Six membres du F.L.Q. furent accusés de meurtre et condamnés au pénitencier.

Quoique la G.R.C. continuât à enquêter sur le mouvement subversif, elle le faisait à titre de police fédérale dans les intérêts de la sécurité nationale. Ici, il faut comprendre que les crimes tels que les vols, les attentats à la bombe, les meurtres, etc. relèvent du Code pénal tandis que l'application du Code pénal appartient aux provinces par l'intermédiaire de la Sûreté du Québec et de la police municipale pour ce genre d'infractions criminelles commises dans la province de Québec.

Durant l'expo 67, les membres du F.L.Q. demeurèrent cachés et silencieux. Mais l'année suivante, le F.L.Q. se mit en évidence le jour de la St-Jean-Baptiste, le 24 juin, dans une bataille rangée avec la police. Ils s'en prirent au Premier Ministre Trudeau qui était sur l'estrade d'honneur en lançant des bouteilles et autres projectiles tandis que Trudeau les défiait du poing.

Plus tard, en 1968, ils reprirent leurs attentats à la bombe, s'attaquant en premier aux magasins d'alcool pour soutenir les employés qui étaient en grève, comme s'ils espéraient de cette façon obtenir un appui réciproque. Pour les cinq mois qui suivirent, des bombes éclatèrent à plusieurs endroits incluant le magasin Eaton et plusieurs boîtes de courrier. Une bombe sauta à la bourse de Montréal faisant vingt-sept blessés. Un révolutionnaire de 24 ans plaida coupable à 124 accusations criminelles reliées aux attentats à la bombe. Il fut condamné à l'emprisonnement à vie mais cela n'empêcha pas les autres de continuer.

Des descentes dans les repaires du F.L.Q. durant l'année 1969 par les forces conjointes de la Police montée, de la Sûreté du Québec et de la police de Montréal, mirent au jour des projets montrant que certains membres de groupes de gauche envisageaient de se joindre au F.L.Q. dans une insurrection armée planifiée. Les attentats à la bombe continuèrent et la résidence du Maire de Montréal Jean Drapeau fut presque démolie.

En février 1970, lorsque la police intercepta un petit camion dans l'Est de la ville de Montréal, ils trouvèrent un fusil à canon coupé; un grand panier d'osier de la taille d'un homme et un document annonçant l'enlèvement du consul d'Israël à Montréal. En juin, dans les

Laurentides, la police trouva six membres du F.L.Q. avec une cache d'armes volées et d'explosifs et aussi le brouillon d'une note de rançon pour l'enlèvement prévu du consul des États-Unis à Montréal. La police venait de contrecarrer ces deux enlèvements mais le deuxième plan était presque identique à un troisième, inconnu d'avance par la police, et qui devait réussir quelques mois plus tard.

Trois jours après la descente dans la cachette des Laurentides, une bombe explosa au quartier général de la Défense à Ottawa tuant une femme et blessant deux autres personnes. Le F.L.Q. était rendu à associer leur mouvement de libération avec ceux de la Palestine et du Vietnam et du mouvement "Black Power" aux États-Unis. Des entrevues avec CBC et des photos dans les nouvelles montraient des membres du F.L.Q. en train de s'entraîner pour la guérilla en Palestine.

Toute l'information recueillie par la police sur une période de sept ans, soit depuis 1963, plus la saisie de liste de personnes désignées pour être assassinées, permirent à la police de convaincre autant les autorités du gouvernement provincial que du gouvernement fédéral que la situation était très grave.

Au matin du 5 octobre 1970, quatre membres du F.L.Q. kidnappèrent James Cross, haut-commissaire de la Grande-Bretagne, à la pointe du fusil, à sa résidence. La note de rançon fit état de sept exigences fondamentales sur les autorités en place qui devaient être respectées afin de préserver la vie du représentant "du vieux système britannique colonialiste et raciste". Les autorités devaient oublier la police. Elles devaient publier le manifeste du F.L.Q. dans les journaux et à la télévision. Elles devaient libérer vingt-trois (23) personnes "politiques" (ils étaient en réalité des criminels condamnés). Les autorités devaient également prévoir le transport aérien pour toutes les personnes libérées avec leurs épouses et leurs familles qui le désiraient pour Cuba ou l'Algérie. Elles devaient réintégrer les "gars de Lapalme", les chauffeurs de camions postaux qui avaient perdu leur emploi avec le gouvernement fédéral lorsque leur contrat avait été terminé. Elles devaient payer une rançon de 500 000 $ en lingots d'or. Et finalement, elles devaient identifier le délateur qui avait aidé la police à repérer une cellule du F.L.Q.

L'enlèvement d'un diplomate britannique concernait le gouvernement fédéral, mais il était politiquement convenable d'agir seulement avec l'approbation du gouvernement provincial. De plus, le gouvernement Trudeau refusait de céder à la pression de payer la rançon croyant que cela conduirait tout simplement à d'autres enlèvements. Des communiqués furent émis des deux côtés mais sans résultat, et la vie de James Cross continua d'être sérieusement menacée.

Moins de 5 jours plus tard, au début de la soirée du 10 octobre, quatre (4) hommes armés s'emparèrent du ministre provincial du Travail et de l'Immigration, Pierre Laporte, alors qu'il était en face de sa résidence à St-Lambert. Le même soir, un appel anonyme fait à l'endroit où se trouvait Bourassa déclara que le même sort l'attendait.

Entre-temps, les ressources entières de la G.R.C., de la Sûreté du Québec et de la police de Montréal entrèrent en action. Quelques jours après les deux enlèvements, la police apprit l'identité des kidnappeurs mais était incapable de les repérer.

Le gouvernement provincial refusa de payer une rançon pour le ministre Pierre Laporte tout comme le gouvernement fédéral avait refusé de le faire pour James Cross. Par ailleurs, un nombre surprenant d'étudiants et d'activistes politiques glorifia le F.L.Q. et ses objectifs. C'est à ce moment-là que le gouvernement du Québec fit appel au gouvernement fédéral afin que l'armée vienne en aide à la police débordée, pour ainsi éviter et prévenir un coup d'État. Les troupes de l'armée prirent position à Montréal, dans la ville de Québec et ailleurs, et des groupes d'étudiants et d'activistes démontrèrent immédiatement leur opposition.

Le samedi soir, 17 octobre, la police reçut un avertissement et un peu après minuit, trouva le corps de Pierre Laporte dans le coffre d'un

Chevrolet vert laissé à la base de aérienne de St-Hubert. Environ 24 heures plus tard, après avoir reçu une information anonyme par téléphone, les policiers trouvèrent la maison où Laporte avait été détenu et tiré.

Le gouvernement provincial demanda alors au gouvernement fédéral d'imposer la Loi sur les mesures de guerre lesquelles peuvent être utilisées en cas de guerre ou dans d'autre situation critique. La Loi sur les mesures de guerre fournirait à la police des pouvoirs extraordinaires pour la détention d'individus et la fouille de personnes et de tout endroit.

Le lundi, 19 octobre, la Chambre des Communes vota en faveur de l'imposition de la Loi sur les mesures de guerre. À peu près en même temps, le procureur général de la province de Québec ordonna au directeur de la Sûreté du Québec d'assumer l'autorité sur tous les corps municipaux du Québec incluant la police de Montréal. Toutefois, il n'avait pas autorité sur la G.R.C. qui, tout de même, continuait à collaborer comme toujours. Au début de novembre, la police, avec les trois principaux corps travaillant ensemble, avait arrêté 439 personnes en vertu de la Loi sur les mesures de guerre. Seules 60 d'entre elles furent détenus et la plupart furent accusés du crime de "sédition". Lorsqu'elles comparurent devant la Cour, en 1971, aucune d'entre elles ne fut condamnée.

Il est intéressant de noter que les archives démontrent que la G.R.C. avait déconseillé le recours à la Loi sur les mesures de guerre. Le Commissaire du temps à la G.R.C., M. Len Higgit, avait demandé aux membres du Cabinet de ne pas tenir compte des estimations "exagérées" portant sur le nombre de terroristes québécois. La G.R.C. jugeait que la situation n'était pas aussi étendue que certains politiciens voulaient bien le laisser croire.

Quelques jours avant l'imposition des mesures de guerre, le commissaire de la G.R.C. avait informé le Cabinet fédéral que même si ses services n'étaient pas à la veille d'élucider l'affaire, ils croyaient avoir mis la main sur un personnage qui était relié aux enlèvements. Cette personne était sous surveillance et la police espérait qu'elle les mènerait aux kidnappeurs.

Le commissaire de la G.R.C. estimait que des arrestations massives et des détentions préventives ne pourraient vraisemblablement mener aux endroits où les otages étaient détenus. Dès lors, il ne pouvait recommander le recours à des pouvoirs spéciaux à ce moment-là.

En premier, le gouvernement du Québec estimait à 900 le nombre de personnes devant être arrêtées pour museler le F.L.Q. Selon les estimations de la G.R.C., ce nombre était de 188 personnes et seulement 68 d'entre elles étaient considérées des partisans "purs et durs" qui auraient dû être mis aux arrêts.

En novembre, les gouvernements fédéral et provincial offrirent une récompense de 150 000 $, censée être la plus grosse somme d'argent jamais versée au Canada, pour tout renseignement menant à l'arrestation et la condamnation des kidnappeurs de Cross et Laporte. La police était de l'avis que si une récompense avait été offerte plus tôt, cela aurait eu comme résultat une capture plus hâtive. Mais compte tenu de toutes les conséquences politiques, la police n'était pas totalement libre d'agir sans l'aval des hautes instances politiques tant au provincial qu'au fédéral.

On ne saura jamais si l'annonce de la récompense fut l'élément déclencheur du succès à court terme mais tôt après, le 6 novembre, la police de Montréal arrêta Bernard Lortie dans un appartement de Montréal. Il avoua sa participation dans l'enlèvement de Laporte et donna des renseignements à la police sur ses complices, Paul et Jacques Rose et Francis Simard qui étaient déjà recherchés par la police.

À la fin de novembre, la Police montée réussit à repérer l'endroit où James Cross était détenu en otage dans un triplex du Nord de la ville de Montréal. Le 30 novembre, on installa un caporal et son épouse dans l'appartement au-dessus. Le caporal passa des heures sur le plancher à écouter et ce qu'il apprit indiqua que Cross était là en effet. La Police montée alerta les autres corps de police et les forces combinées, plus l'armée, encerclèrent la place. Mais, la police craignait et hésitait à se précipiter sur les lieux de peur que les kidnappeurs tuent Cross.

De toute évidence, les kidnappeurs s'aperçurent assez rapidement qu'ils étaient encerclés par la police et firent savoir qu'ils voulaient négocier leur liberté contre la vie de Cross. Comme on le sait, Cross fut relâché et, de façon simultanée, en accord avec les conditions et les promesses du gouvernement, il fut permis aux trois kidnappeurs, avec quelques autres personnes, de prendre l'avion pour Cuba où le gouvernement avait accepté de les recevoir.

Par la suite, les trois corps de police concentrèrent tous leurs efforts à trouver les meurtriers de Pierre Laporte. Encore là, cela a été le travail de la Police montée qui fournit la piste nécessaire. Le 22 décembre, sur la foi de renseignements accumulés par la G.R.C. sur les personnes qui avaient fréquenté les frères Rose et Simard, la Sûreté du Québec arrêta 11 personnes. La G.R.C. avait particulière-ment été intéressée par l'un d'eux, soit Michel Viger qui, pour aucune bonne raison apparente, avait loué une vieille maison de ferme près de St-Luc, 20 miles au sud-est de Montréal. Le 28 décembre, la police provinciale fouilla cette maison de ferme et c'est après une deuxième fouille plus minutieuse du sous-sol que la chasse à l'homme sans précédent pris fin lorsque la police trouva les frères Rose et Francis Simard cachés dans un tunnel sous la maison.

Les trois, plus Lortie, furent plus tard accusés d'enlèvement et de meurtre. Paul Rose et Francis Simard furent subséquemment condamnés à la prison à vie. Lortie fut condamné à 20 ans de pénitencier. Jacques Rose fut acquitté de l'accusation d'enlèvement et plus tard, en 1973, il fut aussi acquitté de l'accusation de meurtre. En revanche, il fut trouvé coupable de complicité après le fait et condamné à huit (8) ans d'emprisonnement.

La police fut critiquée pour ne pas en avoir fait plus. Pour la Police montée qui n'avait pas la maîtrise ni la direction des opérations, il lui avait été difficile d'en faire davantage.

Compte tenu des circonstances et du climat politique du temps, il aurait été extrêmement difficile sinon impossible pour la police de deviner et de prévenir ce qui est malheureusement arrivé. En ce qui concerne la G.R.C. au Québec, il faut reconnaître les faits politiques tels qu'ils sont. Pour ce qui est de la G.R.C. elle est assujettie à l'autorité fédérale. Le partage fédéral-provincial et même municipal des responsabilités pour appliquer les lois canadiennes, et principalement le Code pénal, fait en sorte que les activités et l'autorité de la G.R.C. au Québec sont limitées.

Malgré tout, les deux enlèvements et le meurtre qui ont été probablement les crimes les plus honteux et compliqués jamais commis au Canada, ont été résolus en moins de 62 jours. Du point de vue de la police, c'est un très bon résultat!

La "filière française" dans la G.R.C.

On ne se rend généralement pas compte de l'importance de la contribution des Canadiens français au sein de la Gendarmerie, depuis ses débuts, en 1873. En concevant la formation de la Police à cheval du Nord-Ouest, le premier ministre Sir John A. Macdonald était fort conscient de la nécessité qu'il s'y trouve des Canadiens français.

Les plaines de l'Ouest étaient déjà habitées par quelques milliers de métis francophones et le cardinal Taché, de Saint-Boniface, écrivit au premier ministre à ce sujet, en le priant fortement d'envoyer des policiers qui soient en mesure de leur parler dans leur langue. Par conséquent, la loi du 23 mai 1873, qui autorisait la constitution de la Gendarmerie, stipulait que les recrues devaient "pouvoir lire et écrire la langue anglaise ou la langue française", et cette exigence n'a jamais changé.

Parmi les tout premiers membres engagés par la Gendarmerie en 1873, cinquante venaient de la province de Québec. Beaucoup d'entre eux étaient bilingues mais environ quinze ne parlaient que le français. Tous avaient été recrutés par l'inspecteur E.-A. Brisebois, qui avait déjà servi en Italie avec les Zouaves pontificaux.

Dès ses débuts, la Gendarmerie comprenait des officiers canadiens-français. Au cours de la Grande Marche vers l'Ouest, c'est l'inspecteur Brisebois qui commandait la division "B". Plus tard, c'est encore lui qui établit, avec la division "F", le premier poste de police sur l'emplacement où se situe aujourd'hui la ville de Calgary.

Pendant le voyage vers l'Ouest, la division "A" avait comme commandant en second l'inspecteur Sévère Gagnon, membre du Barreau du Québec. Ce dernier a collaboré à l'érection du fort Saskatchewan en 1875 et a commandé diverses divisions avant de prendre finalement sa retraite en 1901. Sévère Gagnon était le père du sous-commissaire H.A.R. Gagnon, décédé en 1947, alors qu'il était encore au service de la Gendarmerie. L'inspecteur Charles Nicolle devint le premier quartier-maître de la Gendarmerie et l'inspecteur E. Fréchette a dirigé la construction du bâtiment du poste de Battleford, en 1876.

Des multiples patrouilles effectuées dans le Nord par les membres de la Gendarmerie, on ne peut oublier le périple accompli en 1908-1909 par l'inspecteur E.-A. Pelletier et ses hommes, du Grand Lac de l'Esclave à Chesterfield Inlet, sur trois mille milles de steppes.

Durant ses cent années d'existence, la Gendarmerie a relevé de plusieurs ministres fédéraux d'origine canadienne-française dont, notamment, les premiers ministres Sir Wilfrid Laurier et Louis Saint-Laurent.

C'est alors que Laurier est premier ministre, de 1896 à 1911, que la Gendarmerie se voit conférer l'adjectif "royale".

Un autre Canadien français, le ministre Ernest Lapointe, fut l'un des grands responsables de la modernisation des services de la Gendarmerie, au cours des années 30.

C'est encore lui qui a lancé l'idée du bilinguisme à la Gendarmerie dès 1935, en établissant la pratique de doter, autant que possible, de membres bilingues, la division "C" et les secteurs francophones du Nouveau-Brunswick.

Depuis le XIXe siècle, la grande majorité des Canadiens français a coutume d'appeler la Gendarmerie "la Police montée". Cependant, la Gendarmerie a un nom français officiel depuis au moins 1879, alors que le nom de la Gendarmerie apparaît pour la première fois dans la loi qui la régit. Déjà, toutes les lois fédérales sont publiées dans les deux langues officielles.

Or, il est amusant de constater que la Gendarmerie a connu, au cours de son histoire, un plus grand nombre d'appellations françaises qu'elle n'en a eu en anglais. Certains en imputent la faute aux divergences d'opinion survenues avec le temps sur la bonne façon de traduire le nom anglais. Ainsi, la Gendarmerie s'est appelée:

- Police à cheval du Nord-Ouest de 1879 à 1897;
- Gendarmerie à cheval du Nord-Ouest de 1898 à 1904;
- Royale gendarmerie à cheval du Nord-Ouest de 1904 à 1920;
- Royale gendarmerie à cheval du Canada de 1920 à 1959;
- et Gendarmerie royale du Canada de 1959 à ce jour.

Les trafiquants de St-Rémi

Décidément, les trafiquants d'alcool frelaté de Saint-Rémi ont la tête dure. Depuis juin 1969, un groupe de ce secteur s'est fait démanteler pas moins de sept alambics de type commercial et pourtant, il continue toujours ses activités clandestines.

Ce n'est pas comme certains pourraient le croire parce que ces individus jouissent de complicités dans la police, mais simplement parce que, au cours des années, ils ont eu l'habileté et, disons-le aussi, la chance de ne pas être pris la main dans le sac.

Ces individus qui sont avantageusement connus dans le monde de l'alcool clandestin, sont l'objet d'une attention spéciale des membres de la section accise de la Gendarmerie royale depuis 1963. À cette époque, ils travaillaient pour le compte d'un autre personnage de la région de Saint-Rémi.

Par la suite, trouvant sans doute que l'affaire était payante, ils se sont lancés à leur propre compte, pour devenir en même temps des cibles constantes des agents fédéraux.

Ceux-ci ont obtenu leurs premiers résultats en juin 1969, en démantelant un alambic d'envergure installé à Inverness. Malgré ce coup dur qui représentait, entre autres, une importante perte

141

financière, les "bootleggers" se remettaient à l'ouvrage au début du mois de novembre suivant, en utilisant un nouvel alambic à Saint-Polycarpe.

Cette fois, ils furent plus chanceux. Ils réussirent à tenir le coup sans problème jusqu'au 22 octobre 1971, date à laquelle la Gendarmerie royale effectua un raid à une usine clandestine.

Le jeu de cache-cache ne s'arrêta pas là toutefois. Le 5 avril 1973, à Sainte-Brigide, la police fédérale découvrit un autre alambic capable de produire quotidiennement 350 gallons.

L'année suivante, la G.R.C. frappa à nouveau; d'abord le 12 juin, à Saint-Damase, puis le 12 décembre, à Saint-Césaire. Chaque fois, il s'agissait de grosses installations évaluées chacune entre 30 000 $ et 40 000 $. Quelle que soit la rentabilité d'une affaire, des pertes de plusieurs milliers de dollars affectent toujours les fabricants. En 1975, la réorganisation s'est effectuée progressivement et à la fin de l'année, un autre alambic commercial était en activité dans une ferme de Pierreville.

Comme précédemment, les agents fédéraux, dirigés par le sergent George Rugenius et l'inspecteur Gaston Guay, ont suivi l'évolution de l'affaire, ce qui leur a permis de frapper à nouveau le 4 mars 1976, alors que neuf productions totalisant 9 448 gallons avaient pu être réussies et mises en marché par les trafiquants.

Après ce dernier coup de filet, on pensait bien que le groupe mettrait fin à ses activités. Mais non! Profitant de la mobilisation des effectifs policiers pour la période olympique, le groupe a monté un imposant alambic à Deschaillons, dans la région de Trois-Rivières.

Presque au vu et au su de tous les voisins de la ferme choisie comme repaire, le groupe a pu travailler impunément pendant trois mois et fabriquer environ 15 000 gallons. Après les Olympiques, les agents fédéraux ont cependant repris l'affaire en main, ce qui les a conduits à démanteler l'usine clandestine le 10 septembre 1976. Le même jour, ils suivaient également une livraison d'alcool à une cache installée à Saint-Philippe de Laprairie, où 1 750 gallons étaient saisis.

Dans ce dernier cas, l'enquête a continué et a conduit les policiers dans une ferme de Saint-Isidore, où le groupe avait entreposé 5 000 gallons d'alcool illicite, la plus grosse quantité d'alcool illicite jamais saisie au Canada.

Beaucoup de gens ne voient pas l'importance de l'action policière contre les fabricants et revendeurs d'alcool frelaté. Ils ignorent cependant que les gouvernements fédéral et provincial perdent des sommes astronomiques en taxes non perçues.

Selon les agents fédéraux, les gouvernements perdent 22 $ sur chaque gallon d'alcool illicite produit et vendu.

Vers les changements et de nouvelles tâches...

La fin des années 60 et le début des années 70 verront la G.R.C. s'adapter à de nouveaux changements et entreprendre de nouveaux défis dans plusieurs secteurs tels que:

-   l'engagement massif de gendarmes spéciaux et leur apport dans les services de protection, i.e. aéroports et protection des diplomates et consulats.
-   séparation du service de renseignements et de sécurité de la G.R.C.
-   l'acceptation et le recrutement des premiers membres féminins de la G.R.C.
-   la création des sections des fraudes commerciales.
-   l'intensification des brigades de lutte antidrogue.
-   l'abandon de l'application de la loi sur les Indiens.
-   l'envoi accru de membres de la G.R.C. à l'université.
-   l'instauration de classes bilingues à l'Académie de la G.R.C.

-   la compensation financière pour les heures supplémentaires.

Le 16 septembre 1974, le premier contingent de 32 membres féminins fut engagé à travers le Canada et les premières femmes à servir au Québec furent les gendarmes Diane Pilotte (numéro régimentaire 28336), Johanne Guay (numéro régimentaire 32383), Diane Wright (numéro régimentaire 31824), Céline Gingras (numéro régimentaire 32363), Madeleine Pouliot (numéro régimentaire S/1374) et Chantale Fortin (numéro régimentaire 32704).

Même après 50 ans, la diversité des tâches de la G.R.C. à titre de corps de police fédéral demeurait relativement peu connue de l'ensemble du grand public dans le Québec. Pourtant, la G.R.C. est appelée à veiller à l'application de plus de cent (100) lois fédérales mais il est vrai que la plupart des policiers fédéraux travaillent en tenue civile avec des voitures banalisées et, en conséquence, leurs allées et venues sont inconnues du public.

Il est à espérer que cet ouvrage vous a aidé à mieux connaître les multiples facettes du travail de la police montée durant au moins cinq (5) décennies au Québec, soit de 1920 à 1970.

NOTES SUR L'AUTEUR

Gaston Guay est né le 7 septembre 1938 à St-Lambert sur la Rive-Sud. Il y a vécu jusqu'à l'âge de 18 ans ayant fait ses études primaires dans sa ville natale et ses études secondaires à Montréal. En 1957, il est accepté dans la Gendarmerie royale du Canada et quitte la maison pour une carrière de 35 ans dans ce corps de police fédéral.

Après avoir subi un entraînement rigoureux de neuf mois à Régina, dans l'Ouest canadien, on lui confie une fonction de surveillance de la Colline parlementaire, à Ottawa. En août 1958, il est envoyé en Abitibi, dans les villes d'Amos et de Noranda, où il est initié au travail de la police fédérale en détachement. Après avoir exercé la fonction d'agent à Sault-Ste-Marie, en Ontario, jusqu'en 1966, il est transféré à Ottawa où il y passera les dix années suivantes. Promu au grade d'officier, en 1973, on lui confie la tâche de protéger le premier ministre du Canada et le gouverneur général. Il a eu l'honneur et le privilège d'accompagner le premier ministre Trudeau en Jamaïque et en Europe à plus d'une reprise.

A Ottawa, il a consacré une bonne partie de son temps à suivre des cours du soir à l'Université d'Ottawa pour parfaire sa formation.

A la fin de 1975, quelque temps avant les Jeux olympiques, il est transféré à Montréal où il a eu beaucoup de plaisir à diriger la brigade responsable de la lutte à la contrebande tout en obtenant des succès éclatants. De 1980 à 1983, il est officier responsable de la vérification interne pour la division. De 1983 à 1985, il agit comme conseiller en matière d'enquêtes criminelles auprès du directeur des enquêtes judiciaires et, en 1985, il devient directeur des services de soutien aux opérations comprenant les services de filature, d'écoute

145

électronique et d'identité judiciaire. Il termine sa carrière au rang de surintendant à titre d'officier responsable de l'administration et du personnel de 1988 à 1993.

Dans le cadre d'activités communautaires, il a été président du Club de natation de Gatineau, instructeur et vice-président du hockey compétition de Brossard pendant dix ans et, finalement, membre fondateur du Club optimiste Champlain de Brossard.

Il est marié à Lise Plamondon d'Amos, père de jumelles, Louise et Michèle, et d'un garçon, François, et grand-papa de six petits-enfants, Mikela, David, Stéphanie, Christopher, Mélanie et Nicolas.

Après 35 ans d'activités intenses et après avoir passé les plus belles années de sa vie dans la G.R.C., il a décidé de prendre sa retraite le 2 octobre 1992. Jusqu'ici, cette autre étape de sa vie lui a permis de terminer ses recherches pour la publication d'un ouvrage racontant 50 années d'histoire de la Gendarmerie royale du Canada au Québec.

Il souhaite que tous aient autant de plaisir à le lire qu'il a été fier d'appartenir à cette organisation unique au monde qu'est la Gendarmerie royale du Canada.

BIBLIOGRAPHIE

- Rapports annuels du commissaire de la Gendarmerie Royale du Canada, 1920-1970.

- *Une approche socio-historique de la police à Montréal et en Ontario*, Université de Montréal, septembre 1974

- A.F. Wrenschal, *Historical background of policing in Canada*, mars 1978.

- Revues trimestrielles de la Gendarmerie Royale du Canada, 1920-1970.

- Album-souvenir de la Gendarmerie Royale du Canada, Division "C" sur EXPO 1967.

- Article de *La Presse* de Montréal, samedi 25 septembre 1976.

- Manuel des gendarmes de la G.R.C., Ottawa 1966, Imprimeur de la reine.

- *Une carrière en habit rouge*, G.R.C., Ottawa 1961.

- S.W. Horral, *Histoire illustrée de la G.R.C.*, Toronto, McGrawhill, 1973.

- Rapports de la commission d'enquête sur les activités de la G.R.C., Ottawa 1981.

- Nora & William Kelly, *The Royal Canadian Mounted Police*, Hurting Publishers, Edmonton, 1973.

- C.W. Harvison (commissaire à la retraite), *The Horsemen*, McLeelland & Steward, Toronto, 1967.

- Vernon A., Kemp M., *Without fear, Favor or Affection*, Longmans-Green, Toronto.

- G.R.C. - Brochures et publications.

- Archives publiques du Canada.

REMERCIEMENTS

Mille remerciements à madame Hélène Gagné, secrétaire de direction à la G.R.C., pour son travail formidable à la rédaction du premier manuscrit.

L'auteur tient à exprimer sa gratitude à l'endroit de Monsieur Lorenzo Proteau, un éditeur tout à fait unique en son genre, qui a cru en ce projet et qui a accepté de prendre les risques pécuniaires.

L'auteur désire aussi rendre hommage à plusieurs de ses collègues et sous-officiers avec qui il a eu le bonheur de travailler dans la GRC notamment. Cette liste n'est cependant pas exhaustive et toute personne pensant avoir été oubliée peut considérer cet hommage comme étant également le sien.

Allard, Jean-Marie
Bernard, Jacques
Boulanger, Royal
Boulanger, Yves
Boivin, Fernand
Bégin, Denis
Boisvert, Raymond
Bossé, Fernand
Breau, Alphonse
Brisebois, Jean
Charron, Jean-Claude
Charbonneau, René
Campagna, Yves
Côté, Claude
Chartrand, Philippe
Courtemanche, André
Délisle, René

Dansereau, Jean-Guy
Deschênes, Melvin
Desrochers, Claude
Dion, Henri
Desormeaux Gaston
Doucette, Normand
Drapeau, Paul
Duschesneau, Raymond
Favreau, Gilles
Ferraris, Jos
Frédéric, Claude
Fontaine, Léo
Fournier, Mario
Gagné, Pierre
Girouard, Daniel
Grilli, Jacques
Guindon, Robert
Guy, Lucien
Hugo, Laurent
Huot, Marcel
Julien, Jean
Jutras, Albert (Pete)
Kennedy, Gérald
Laforge, Martin
Latour, Raymond
Lasnier, Jacques
Lange, Pierre
Lebel, Arthur
Langevin, Denis
Lepage, Lionel
Letendre, Pierre
Linteau, Raymond
Lortie, Raymond
Magny, Guy
Mantha, Philippe
Marcoux, Guy

Marquis, Yvon
McDuff, Gaston
McGreevy, Donald
Michaud, Alfred
Noël, Eddy
Noiseux, Gilbert
Nolet, Jacques
Olivier, Pierre
Perrier, Roger
Philion, Charles
Pichette, Gaston
Pothier, Paul
Poirier, John
Rémillard, Gaétan
Robert, Michel
Robitaille, Claude
Rodrigue, Vincent
Roux, Jean
Roy, Gilles
Roy, Yves
Rugenius, George
St-Onge, Christian
Samson, Henri
Sauvé, Jean
Tardif, Roger
Thibodeau, Pierre
Thivierge, Mike
Thivierge, Paul
Touchette, Guy
Vermette, Claude
Yelle, Alcide

Détachement d'Amos en Abitibi 1923

Premier Quartier-Général de la police montée, Montréal 1936

153

Quartier-Général de la sous-division de Québec
Rue Grande Allée à Québec

Funérailles du sous-commissaire Royal Gagnon, Montréal 1947

Funérailles du sous-commissaire Royal Gagnon, Montréal 1947

Patrouille en traîneau à chiens, Grand Nord du Québec

Quartier-Général, Montréal 1953

Caserne de la GRC, Regina 1957

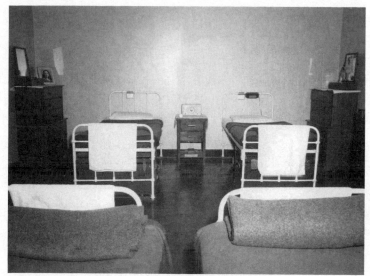

Caserne de la GRC, Montréal 1960

La GRC s'implique avec les jeunes de Brossard

Détachement de Noranda 1962

L'Inspecteur Guay avec le Premier Ministre Trudeau, St-Hyacinthe 1979

Contingent de la réserve de la GRC 1944

Quartier-Général actuel de la GRC, Montréal 1974

159

Serment d'office

Les insignes de la GRC

Services de la Marine

Membres de la GRC à Montréal 1960
Saisie de cigarettes

Chien policier de la GRC

Les responsables de la limousine des Chefs d'Etat et dignitaires
R.C.M.P. members in charge of V.I.P. limousine

(en uniforme/in uniform) Gend./Cst. JAR GRONDIN
(vignette) Gend. / Cst. J.P.P. LAMARRE.

Expo 67

162

Escorte de Motards de la Police de Montréal – Expo 67 –

Expo 67

Place des Nations – Expo 67 –

Le Général De Gaulle – Expo 67 -

L'Inspecteur Gilbert Noiseux avec le Président Johnson –Expo 67 –

Pavillon des Etats-Unis – Expo 67 –

Le Général De Gaulle – Expo 67 –

L'Inspecteur Guy Marcoux avec la Princesse Grace – Expo 67 –

Emblème de la GRC avec tête de bison
et devise « Maintiens le Droit »

Police à cheval du Nord-Ouest 1874

Police à cheval du Nord-Ouest 1898

Gendarmerie Royale du Canada
Uniforme de cérémonie 1979

CAROUSEL de la GRC

Le gendarme Guay avec une famille indienne, Hunters point 1964

Une des premières femmes membre de la GRC 1974

Écusson pour les jeunes

Dîner spaghetti de la GRC, Montréal
Le petit James Guy, policier d'un jour

Le SurIntendant Guay reçoit sa médaille d'ancienneté du
Commissaire-adjoint Breau lors de sa retraite 1992

171

Sdt F.J.A. Demers - Octobre 1920 à juin 1921

Insp. C.E. Wilcox – Juillet 1921 à juin 1922

Sdt J.W. Phillips – Juillet 1922 à novembre 1931

Sdt T. Dann – Décembre 1931 à avril 1933

Sdt R.R. Tait – Juillet 1938 à Décembre 1938

Sdt H.A.R. Gagnon CBE – Janvier 1939 à août 1943

Comm.-adj. J. Brunet – Septembre 1943 à juin 1951

Comm.-adj. N. Courtois –Juillet 1951 à avril 1955

175

Comm.-adj. J.R. Lemieux – Juillet 1955 à avril 1959

Comm.-adj. W.M. Brady – Avril 1959 à novembre 1961

Sdt R.J. Bélec – Décembre 1961 à octobre 1964

Sdt pal J.A.A. Thivierge – Juin 1965 à juillet 1967

177

Comm.-adj. M.J.Y Dubé – Novembre 1968 à décembre 1973

Comm.-adj. J.P. Drapeau – Janvier 1974 à août 1976

Comm.-adj. J.N.G.R. Marcoux – Mai 1979 à juin 1980

Comm.-adj. J.L.P. Mantha – Juin 1980 à novembre 1983

Comm.-adj. J.F.J. Bossé – Novembre 1983 à août 1985

Comm.-adj. J.E.J. Julien – Août 1985 à janvier 1988

Comm.-adj. J.A.M. Breau – Avril 1988 à mars 1994

Comm.-adj. Michel Thivierge – Mars 1994 à octobre 1995

Comm.-adj. Odilon Emond – Octobre 1995 à août 1998

Comm.-adj. Pierre Lange – Août 1998 à

LE FIGARO

premier quotidien national français

MARDI 10 NOVEMBRE 1998 (N° 16 871) · PRIX : 7,00 FRANCS

Un groupe de sans-abri québécois chante dans la station Auber

Les voix de l'espoir de la chorale des SDF

Les dix-huit chanteurs venus de Montréal participent aussi à la création d'un ensemble similaire au sein de la Mie de pain.

« La mer qu'on voit danser le long des golfes clairs a des reflets d'argent, des reflets changeants... »

Les 18 chanteurs de la chorale des sans-abri de Montréal interprètent Charles Trenet ou Édith Piaf avec une extraordinaire ferveur. Amplifiées par l'écho des voûtes de la station Auber (IX°), leurs voix s'unissent et résonnent pour le plus grand plaisir des usagers du métro, un peu interloqués tout de même par ces choristes pas comme les autres.

Créé il y a deux ans par Pierre Anthian, un jeune Français venu vivre au Québec, ce groupe est en effet composé exclusivement de SDF de l'Accueil Bonneau, un centre qui sert des repas gratuits dans le quartier du Vieux-Montréal. Leur succès outre-Atlantique est tel qu'ils ont déjà réalisé deux disques, publié un livre et participé au tournage d'un film pour la télévision canadienne.

Cette fois, tous ont économisé de l'argent sur leurs gains quotidiens pour venir chanter pendant dix jours dans la capitale et participer à la création d'une chorale similaire au sein de la Mie de pain, une des plus anciennes associations parisiennes de lutte contre l'exclusion.

« A Montréal, ce projet a permis de redonner goût à la vie à de nombreux itinérants, alors qu'ils avaient perdu tout repère social, explique Pierre Anthian. En venant à Paris chanter tous les jours pendant les heures de pointe, notre désir est de faire partager aux autres notre joie de vivre et notre expérience. Nous démontrons ainsi qu'on peut toujours s'en sortir en touchant les gens par le talent et non par la détresse. »

Cyril HOFSTEIN

Au centre : Sœur Nicole Fournier, Directrice de l'Accueil Bonneau

Chorale de l'Accueil Bonneau, (photo : Gérald Brosseau)

Accueil Bonneau (Photo : Yves Beaulieu)

Accueil Bonneau (Photo : Yves Beaulieu)

185